劉福春・李怡 主編

民國文學珍稀文獻集成

第四輯
新詩舊集影印叢編　第139冊

【成仿吾卷】

流浪

上海：創造社出版部 1927 年 9 月 1 日初版

成仿吾 著

花木蘭文化事業有限公司

國家圖書館出版品預行編目資料

流浪／成仿吾 著 -- 初版 -- 新北市：花木蘭文化事業有限公司，

2023〔民112〕

202 面；19×26 公分

（民國文學珍稀文獻集成・第四輯・新詩舊集影印叢編　第 139 冊）

ISBN 978-626-344-144-6（全套：精裝）

831.8　　　　　　　　　　　　　　　　　　　　　111021633

ISBN-978-626-344-144-6

9 786263 441446

民國文學珍稀文獻集成 ・ 第四輯 ・ 新詩舊集影印叢編（121-160 冊）
第 139 冊

流浪

著　　者　成仿吾
主　　編　劉福春、李怡
企　　劃　四川大學中國詩歌研究院
　　　　　四川大學大文學學派
總 編 輯　杜潔祥
副總編輯　楊嘉樂
編輯主任　許郁翎
編　　輯　張雅淋、潘玟靜　美術編輯　陳逸婷
出　　版　花木蘭文化事業有限公司
發 行 人　高小娟
聯絡地址　235 新北市中和區中安街七二號十三樓
　　　　　電話：02-2923-1455／傳真：02-2923-1452
網　　址　http://www.huamulan.tw 信箱 service@huamulans.com
印　　刷　普羅文化出版廣告事業
初　　版　2023 年 3 月
定　　價　第四輯 121-160 冊（精裝）新台幣 100,000 元　　版權所有・請勿翻印

流浪

成仿吾 著

成仿吾（1897～1984），原名成灝，生於湖南新化。

創造社出版部（上海）一九二七年九月一日初版。
原書三十二開。

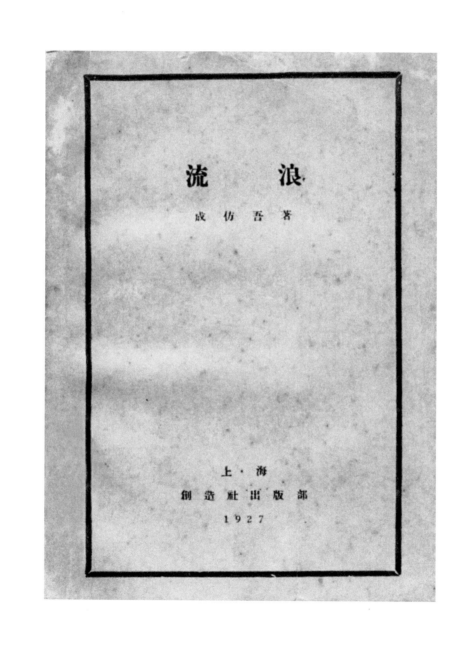

創造社叢書
第十四種

流浪
成仿吾著

上海
創造社出版部
1927

本 書 著 者 的 其 他 著 譯

1. 使命 （文藝評論集）
2. 德國詩選 （與郭沫若合譯）
　　　　（印 刷 中）
3. 水濱集 （譯詩集）
　　　　（印 刷 中）

上 海 創 造 社 出 版 部 發 行

浪　　流

1927， 6， 1， 付排

1927， 9， 1， 初版

1——3000冊

每冊實價大洋六角

序　詩

（一）

我生如一顆流星，

不知要流往何處；

我只不住地狂奔，

曳着一時顯現的微明，

人總不知我心中焦灼如許。

是何等遼闊的天空！

又是何等清爽！

〔 1 〕

我搖搖而奮奔，

我耀耀而遙征，

囘顧長空而中心悵惘，

這是何等的運命──

這短短的一生，

儘流浪而凋零，

莫或與我相親，

永遠永遠孤獨而凄淸！

人縱在愁苦之中，

皆能強笑而爲樂，

歡情的火焰熊熊，

悲哀的黯影猶可潛踪，

我連這種歡情也無從得着。

啊，這是何等的運命──

在這無涯的悵惘，

曳着瞬刻的微明，

〔 2 〕

抱着惨痛的悽情，

我还要不住地奮進而遽往。

啊，我生如一顆流星，

不知要流往何處；

我只不住地狂奔，

曳着一時顯現的微明，

人縱不知我心中焦灼如許。

一九二三

〔 3 〕

序　　詩

（二）

這是我的殘骸！

凋零的我呀，早已不知所在。

親愛的遠方的朋友喲，

請莫惜，請莫忘你的憐愛！

便是我這漂渺的生涯，

也曾夢想過幻美的純愛；

可如今白合的花時過了，

〔 5 〕

空剩了這片殘骸。

但這雖是我的殘骸，
我的音容呀，或許仍然未故，
親愛的遠方的朋友喲，
請莫惜，請莫忘你的憐愛！

　　　　黃埔，十六年六月廿九

〔 6 〕

目　　錄

〔 1 〕

〔 2 〕

一個流浪人的新年

(一)

　　基督聖誕節也過了。那小的街大的街，一天一天的都活潑起來了。我們若借用他幾句現存的話，那麼，這繁華的都市，在沒入於一個夢境，一天深似一天的，那夢境的氛氳，一天濃似一天的。

　　他可以由他所住的市外，指給我們看那一大堆模模糊糊的建築。霧一般的青煙，和着濛濛的水蒸氣，好像一重柔軟的薄幕一般，把她輕輕的遮住了；有時又好像天女拖着的霓裳，受着舞後的餘波，

〔 1 〕

還在顫動不已。那些市街，好像曉霧包中的一朵鮮花，時時反射着微弱的光芒，其實她正在貪她的酣夢。

從那蒼白色的低空裏，大自然在不住地奏她莊嚴的交響樂！一切的東西，好像受了大自然的命令，都在參加她的交響樂，在這偉大的鼓動中，他們一個一個的，倒好像在守着他們的沉默。在這慈母的諧音中，小兒在貪他的酣夢。

松樹和幾種長青樹以外，隨便到那裏都只看見一樣的空枝，間或有兩三片枯葉，都是戰戰兢兢的在那裏搖擺，只等他們最後的宣告。他──一個多年的流浪人──每天踏着嘍囌嘍囌的枯葉，跑到街上幹完了他的事，又嘍囌嘍囌的跑回他住的地方，他知道這一年又剩不到幾天了。不過他的感想就盡於這一句話。因為他過的是那麼樣單調的生活，他知道冬天去了，又是春天；夏天去了，少不得又是秋天。大自然在他眼裏，也好像不過在奉行故事，同他一般。過年這事情，對於他的生活的影響，就是乘着年假，休息得幾天 有時候這幾天年

〔 2 〕

假,反使他無聊得不堪,他隨便到那裏,都只一個
人。他有兄弟在他的本國,但是他老早就不想他們
的事了。他想: 我想他們的事,就有什麼好處? 只落
得一身的煩惱罷。他也不知道到這地方幾年了。若
不是他平素每天看報,他定會把年月都弄不清楚。
他的臉總帶着一種慘黃色; 他的眼睛,好像被什麼
東西壓住,開不起的一般,小得不稱他長瘦的臉;幷
且時常注視他的前面,好像在默想什麼似的。

(二)

這一天已經是二十八了。他望着市內行去,走
到了坐電車的地方,他就跳上一條電車坐下。那兩
邊的街都已經裝飾好了。他走馬觀燈的一般,看了
一些紅紅綠綠的東西。早把他的眼睛看花了。他閉
着眼睛,讓電車拖着他去。

他坐到一個地方,跳下車來,望着人海裏面一
擠,夢一般的,任他的兩隻脚拉着他跑。

市內的空氣,濃得差不多連呼吸都很困難。他
只任那人的潮流把他流去。那一家一家的裝飾,和
那陳列台上的物品, 對他好像沒有什麼引力的一

〔 3 〕

般。這不是因為他的感受力不靈敏。他覺得去年的
冬天，好像就是昨天的事情一樣，他們也曾把這些
市街，紅紅綠綠的裝飾了一遍，沒有幾天，又把他都
撤了。他到如今還不知道為的什麼原故。所以這些
裝飾，都好像是前幾天見過的東西；也喚不起他的
好奇心，也沒有什麼奇怪。

他不解他們為的過一個年，何以就忙到這般
田地，那街上走路的人，光着兩隻小眼，都好像到那
裏去搶飯吃的飢民一樣。無數的汽車，野獸一般的，
狂號怒吼，跑去跑來，光景驚心得很。電車的聲響，
汽車的怪聲，脚踏車的鈴子，和人的呼號，喧擾得更
不可耐。但是他只低着頭往前走，倒像聾子一般；好
像這些聲音，在地球上互相消殺，他反聽不見什麼
聲音。

他想過年這個事情，不過說地球圍着太陽跑
了一個圈子。但是地球的軌道，是一個橢圓。誰知道
她最初是從那裏跑起的？或者我們過年的時候，地
球已經跑過了她那出發點幾十天 或者還差幾十
天，也誰知道？若說是人類想革新他們的生活，任意

〔 4 〕

把這一天作一個起點，他不信人類這樣的生活，還可以革新。他想這樣的革新手段，恰足增他們的疲倦，因為連這手段，都早變成了一個公式。

（三）

銀白色的雪花，紛紛飛落，不到一個早晨的工夫，早把一個暗淡的世界，用一層流動的光明包好了。他想起他一個朋友所作的詩，有這麼一首，他念了又念：

"一個白銀的宇宙！

我全身心好像要化為了光明流去，

啊，Open Secret 啊！"

那街上的雪，也慢慢的增高起來。這天已經是三十一號，街上的人更多，一個個的身上都添了幾片雪，像花樣一般。各人所吐出的水蒸氣，在那冷空氣中半晌才能消滅。

這晚他坐着電車囘家裏去，車上的玻璃窗都被水蒸氣蒙蔽了，外面通是漆黑的，只見無數的電燈，好像一羣的小星一樣，一個個在放他們球狀的輻射線。他們的光波一伏一起，好像可以指點得出。

〔 5 〕

他同住的幾個朋友 ── 都與他大同小異的──約他那晚大家守歲。他們預備了幾瓶酒,幾碟菜,圍着幾個小火盆,一面閒談,一面嗑酒。也有述這幾天的見聞的,也有追憶過去了的事情的,但他們談話的中心,總離不了過年的事。有的說他去年怎麼樣過年,有的說他某年過年的時候的趣事,但是他們這些話,又每不期然而然的,歸到他們本國的追想。他們小時候在本國過年如何快活;除夕他們在家裏如何歡喜;過了年後,一直到元宵,那些小孩們如何玩耍;以及種種瑣碎的事,每年到那一天晚上,他們說了又說的事,都好像有把他們全體的注意集中於那說話的人的一舉一動的引力。但是這些追憶愈進去得深,他們與現實的對照愈加深刻,愈不可耐。滿屋的追憶的情調中,和他們遐想的眼光裏,都有說不出的淒涼景況,他們自己都能知道。就有勸人喝酒的人,就有插些笑話來岔轉他們的話頭的,但是這種種的努力與手段,不唯不能把這悲哀的情調稀釋起來,這些手段用得太勉強的時候,反增他們寂寞的痛苦,與因為無法解救所生

〔 6 〕

的幻影消滅的悲哀。

他們幾隻眼睛,眼光光地所守着的那座小鐘,一步一步的差不多就要走到十二點鐘了。他們話也不說了。他們都眼光光地注視那個長針,看他一步步的移,聽他一聲聲的響,好像期待什麼東西似的。

那鐘到十二點鐘只差三分了,兩分了,一分了。隔壁的一座大鐘,鐵塔鐵塔的,好像十分高興的一般,在那裏響。那屋子裏的空氣緊張到十二分了。誰也不敢作一聲。他們聽見屋簷邊的水滴,和他們自己呼吸的聲音。她們好像都在合着這兩座鐘的鐵塔鐵塔的音響,到頭來隔壁那座大鐘一下一下的打起來了。他們好像聽什麼天啓一般,把耳朵豎起,把頭偏向那一邊,好像怕聽脫了什麼似的。

那鐘一下一下的打完了。他仍依他的老調子,鐵塔鐵塔鐵塔的響起來了。他們慢慢的把頭偏過來,把他們的耳朵解放了。但是他們的眼睛,有的好像在說:"去了!去了!"有的好像在說:"來了!來了!"

(四)

〔 7 〕

初一倒是好天氣。他侵早起來,吃了照例的早飯後,獨自一個人,望着那用白銀蓋好了的平原行去。他前回過年也是那麼樣的,因爲他沒有什麼地方去拜年。他想起前回的正月初一,他如何也在那裏散步;他如何看見幾個小孩在放風箏兒;如何遠遠的那條小路上,七八個人的葬列,慢慢的前往;如何那些人都只埋着頭,跟着那抬靈柩的跑,聲息都無,那邊的小孩們却在高呼狂笑。他看見幾個小孩兒,又在那裏放風箏。他們在雪裏面亂跑。閑着手的,有的在丟雪球兒玩,有的把雪拿來打成了一匹胖狗。這些小藝術家在批評他們的創造物哩!

那些街上,都沒有幾個人行走。到處都是靜悄悄的,倒像暴雨狂風過去了後的光景。他看見了一行行的街樹,空着在那裏站班。他從前在那人的河流裏面漂流的時候,好像沒有看見過她們一般。對着他來的電車,遠遠的早就聽見。那些野獸一般的汽車,去得遠了,還能聽見牠們在那裏狂嘷,那街上是這般沉靜。

前幾天那麼忙碌,這一天却那麼清閑,他眞不

〔 8 〕

— 26 —

解一些人為的什麼那麼樣忙，現在又都到那裏去了。許多的商店，早把牠們的鋪門關起來了。間或吃醉了的人，東倒西歪的，在那裏一個人說什麼。他想：或者他們關着門在家裏喝酒去了罷，但是他不信這就是他們前幾天那麼忙碌的目的。

到了夜間，那街上更加清靜起來了。遠遠的看去，只見一路上的街燈，在閃着他們微弱的光芒，照着那些冷清清的裝飾。幾個走路的人，好像都知道暴風雨已經去得遠了，已經沒有什麼可怕的一般，一步步的在那裏走，有時浴着燈光，有時沒在樹陰裏。

〔五〕

這一天是初三，那些街上，比前兩天活潑得多了。在街上行禮的人，差不多也沒有了。只是那些裝飾，飽受着冬天的冷風，還在那裏一陣陣的顫動。

他跑到一個公園裏，那裏的人，倒比平素還多。許多的小孩子，前前後後的，跟着他們同來的大人，你呼我應的，在那裏有說有笑。他們都穿着最新的時裝。一個個紅着臉，跑去跑來，倒像是一個小孩子

〔 9 〕

的展覽會，熱鬧到十分。

　　那些樹都是空着枝，在那青色的濕的空氣中，時常把頭兒搖擺幾下，好像是在說：陽春還沒有歸來。一池黃綠色的水，在吹起他的漣漪。幾個金魚，在爭那些小孩子給他們的東西，時常爛着他們赤的鱗甲。用他們的尾在水上劃幾個弧狀的波，又慢慢地沉下水去，急得那些小孩子趕快又丟東西。

＊　　　　＊　　　　＊

　　那全市街漸漸的由懶惰醒來了。這天已經是初八，他的事情又忙起來了。他仍和從前一個樣，侵早坐電車到市內去，晚上又從那電車的終點，一步一步的走回他住的地方；休息了一晚又到市內去，晚上又跑回來。一天去了，兩天去了，一個月去了，兩個月去了。這樣的生活還要過幾多時，那只有上帝知道。

一九二一，四，二一，改作

〔 10 〕

深 林 的 月 夜

中印度摩揭陀王宮的讌飲，正在興高采烈。遠遠地只見燈燭輝煌，照耀猶如白日。萬歲的高呼，佩劍相擊的聲音，以及擊節聲，歡笑聲，傳徹了王宮內外。戰勝的歡喜，差不多把全國的人民，弄得如狂似醉。王的善戰的將軍與忠勇的臣下，尤其是狂喜。壯麗的王宮裏頭，好像是一夜春來，百花齊放的光景。

這一夜，國王也全副披掛，高升寶座，受了許多臣下的敬禮。有的俯伏王前，默禱聖壽；有的吻着王履，感極淚流。禮畢後國王賜羣臣酒，羣臣也多捧觴

〔 11 〕

上壽。直到兕酬交錯,歡喜愈濃,國王纔覺得有點疲倦,獨自跑出來了。

玲瓏的月兒,巳經高掛空際。夜色巳深,只遠遠微聞不斷的歌笑。國王佇立殿前,吸着新鮮的空氣,默賞沉沉的夜景。不盡的河山,正在月光裏面勘搖着,

——好壯麗的河山!國王不由得感嘆起來,同時一種感激的情緒脹痛了他的雄偉的胸部。

——我感激……我眞感激……哦,我這可愛的……

國王的雙頰,不住地有熱騰騰的淚珠流着。他這纔知道他的河山是這般壯麗。他覺得好像新得了這滿眼的河山——這般壯麗的珍寶。他愉快,他歡喜。可是他忽忽地又感着悲哀。他想這壯麗的河山,原是他祖先的;但是他的祖先,如今往那裏去了?他想這原是他父親的,但是他的父親,如今往那裏去了?他忽忽地害怕起來。

他覺得好像有個什麼東西,隱隱在他的身後,伸手要奪他這新得的壯麗的珍寶,要奪他的生命,

〔 12 〕

他急囘顧，可是又沒有看見什麼。這東西祇是在他的身後，好像乘機要攻擊他。他愈害怕，他狂跳。他好像看見了一個黑的東西，把他嚇得毛髮直豎；他往外跑，可是這黑東西總是在他的背後。他快，這黑東西也快；他慢，這黑東西也慢。他急了。夢一般的，他走出了宮門，跌倒又爬起來，爬起來又跑。漸漸地這東西的手，好像挨近了他的耳朵，他越拼命地往前飛奔。

最後他跌了一交大的，纔發見他自己在一個森林裏面。他前面跌坐着一個穿白袍的利西。他不禁高呼：“救命！利西！哦！救命！”

靜坐着的利西徐徐開了他的雙眼，但他却只反問國王說：

“國王！在你身後的是什麼，你知道麼？”

他急囘頭看，却又不見有什麼。他不知如何答利西的話。他只是叩頭求救。只聽見這利西又說：

“國王！你眞不知道麼？那麼，我給你看罷。”

這利西從身旁的一根樹下，拿了一個東西向着他一丟，幾乎打着了他的前額。他也沒有看得淸

〔 13 〕

楚,只是駭得不由得住旁一跳。他的頭碰在一根樹上,他的身子住下一沉,就躺着不動了。

他的眼簾垂下來了。他的口唇也合攏來了。銀白的月光把他們都封住了。樹枝的影兒倒映了一些在他的身上,把他全身割為了無數的小部分,可是一點也不移動。森林好像沉醉了似的,只有明月的光波,在林間波湧着。

少停,利西向後面低聲說:

"大弟子!這裏死了一個人。拿點白布來把他蓋好罷。"

樹後轉出了一個同樣穿白袍的弟子來,靜穆地用白布把國王蓋了。

這弟子轉出林後,復帶了一些穿白袍的出來,口裏都唱着:

摩揭陀的國王,
眠在這裏!
蓋着半疋白布,
——純潔的白布。
天地做他的棺槨,

〔 14 〕

宇宙做他的墳墓。

永不再醒，

空是春閨夢裏的人。

這歌聲響徹了森林內外，木葉也共鳴了一陣
颯颯的清響。可是轉瞬之間,這森林又恢復了他固
有的沉靜,依舊浴着玲瓏的月光,從新貪享他的酣
夢起來了。一切都好像是死了一般的,其實一切都
在儘量吸着生命的美酒 ,用了十分的自我意識與
一切的意識。在這大海一般深的‘沉靜’裏面,月慢
慢地沉下地平綫下去了。圓蓋一般的青天,也漸漸
地剩不到幾顆明星了。

這時候利西向他的弟子們說:

"天快亮了！ 這滿城的俳優,今天不知道又要
排演一些什麼,我們準備進去玩玩罷。"

弟子們都是沉默着。四圍都是沉默着。只有林
外的老鴉'呀!'的一聲答應了。

十一年一月十八夜

補　註

利西是賢人或學者的意思。

〔 15 〕

這短篇的情節，在一般的中國人，或許過於是浪漫的 rom-antic 了。國王之死，也許是不大自然，但是國王與利西的對照，王宮與森林的對照，國王的恐怖與利西的享樂的對照，都是很好的材料，恐怕作者力量不足，沒有十分發揮出來，國王的恐怖，雖然可笑，然而他的態度是很誠實的，本來這主人公，可以用一個中國人，不過中國人少有這種認真的態度；印度人與俄國人常有這種態度，中國人却少有，這短篇能不能說是這種態度的寫照，尚是疑問，但這短篇最初的動機，不過是想把這樣的森林描寫一下，因為作者素來是喜歡這種森林的。

十一年二月二十四夜

〔 16 〕

灰 色 的 鳥

（一）

　　我與可愛的顏碧湘女士將要結婚了，可是我
的老朋友丁伯蘭却還是很孤獨地，很淒涼地，在扯
那無情的日曆的一頁頁。

　　他和我自從中學三年級同學以來，一直同到
了大學畢業。他在我許多同學之中，是最富有特性
的一個，也是我最親密的一個。自從相識以來，他給
了我多少知識上與精神上的援助；從他的人格，他
給了我多大的力量！可是除我之外，他也沒有別的

〔 17 〕

親信的朋友，只有我最詳細地知道他的家世，他的
性情，他的思想，他的一切。記得有一囘他偶因家事
請假到漢口去了的時候，他給了我一封很熱忱的
信，內裏有一段這般説：

"……我今天在街上，看見兩個很活潑的靑
年，手牽手，笑談着從我的身傍過去了。我暫時
凝望着他們，不能離去。呵，佩韋，他們是何等
的快活！世間的事情，眞教我煩厭極了！我怎麼
要來這可厭的地方，偏不能也同你暢遊，没入
於自然的懷裏，忘懷世間一切的苦痛，當遣等
和悅的風光，這般明朗的月夜?……"

記得他和我初來同學的時候（已經是八九年
前的事了，呵，時間是這般跑得快的！）那時候他雖
然初從偏僻的地方出來，初離他的父母兄弟，他是
很快活的一個學生。讀書之外，他最喜歡同我和幾
個朋友踢踢高球，他并且頂熱心公益。後來他每從
家裏到學校來，便至少也有一兩個禮拜不快活，從
進了大學的那一年，他便每每對着我，說他心裏很
寂寞。

〔 18 〕

　　我們一個人生在世界上，清夜裏把自己由外
務'絕緣'，歸到眞的自我的時候，本來誰又能不感
覺一種驚心的忍不住的寂寞呢！我們總要互相安
慰,互相援助纔好。然而我是素來要丁君的援助的,
我應當如何纔可以援助他呢？有時我勸他看小說,
或邀他去遊公園,他只用一種很悽愴的笑臉對我
說:"謝謝你,有你這般親切的朋友,我心裏好過得
許多了。"

　　他的家庭逼着要他訂婚,他的父母問他要孫
子抱；這種功利的機械的要求,赤裸裸地把舊式的
家庭洗剝了在他的前面,傷了他的主我的理想,使
他切實感覺了人生之無意義——這確是丁君的悲
哀之起原,可是決不能說是近年以來使丁君深感
寂寞的病菌。這是我所能斷言的,可是這病菌是什
麼?在什麼地方?却是到了最近我纔知道的。

　　約莫兩年之間,他每每竟是坐臥不安似的；有
時候他忽問我:"如何纔好?"及我問他爲的什麼事
情,他已經伏在桌上哭他的去了。有一囘他忽然對
我說:"我要改了。我這種瘋狂似的行爲,是不道德

〔 19 〕

的。"可是不到幾分鐘,他又很悲酸地對我說:"但是道德是什麼呢?宗教是什麼呢?藝術是什麼呢！呵,都不過是美觀的虛僞罷!"

夢一般的,我們畢業以來,又是一年多了!他總是這般被一種濃厚的沉哀圍繞着。可是他對於朋友是很熱誠的,他愛他們,願他們都好,對於碧湘與我,尤其是這樣。

初夏的一天,我同碧湘順便到他住的地方,想看看他,幷且替他們介紹。他等碧湘說過幾句客氣話之後,很誠懇地對我們倆說:"你們很好,我願你們很好,我願你們長是這般你！"我們辭他出來的時候,他又含着微笑,把這幾句話重說了一囘,可是他的臉色與聲音,總不免是很淒涼的。

（二）

碧湘是一個很美的女孩兒（我這樣稱她,因爲她是那般天眞爛縵的！）可是她的美不是那一見便能使人驚倒的種類,不是那見了便要求我們驚嘆的種類,也不是那太陽一般,使我們不能正視的種類。她的生理的發達是很調和的,很合音節的;

〔 20 〕

她的美不在這一部分,那一部分的特別的發達,就
在她全身的曲面與色彩的合奏,她臉上那豐滿的
肉與勻潤的微紅,時常帶着肥美的微笑在反映着
她內心的純美。不寬不厚的腰圍,很圓滿的小腿與
那多一分過長,少一分過短的天足,看了使我時常
覺得一種力的快感,痙攣一般地在我身中飛躍。她
的行勤是很活潑的,她的聲音是很音樂的,她的心
情是很愉快的,平和的,所以我從她那澄碧的眼睛,
可以看出一個更美的宇宙,更深的存在——她的
美是這般的。她與我所學的東西雖然不同,可是她
不僅對於我的專門科學有十分的理解,她還對於
兒童的教育,頗有獨到的地方。我們的人生觀更是
很相近的;我於未訂婚約之先,曾要求她不可逼我
去爭名利,因爲人生一切的不幸,都是爲的這兩匹
劣馬,而多少不幸的事情,是因爲一種蒙着面的黑
暗的勢力,把這兩匹頑惡的劣馬解放了纔發生的;
可是碧湘很快活地對我說"我們要什麼名呢?要什
麼利呢?我們率性往鄉裏耕田去罷!你在田裏耕田,
我在旁邊種菜,你講一個故事,我唱一個歌兒,好不

〔 21 〕

— 39 —

好?"近來我們每回會着,所談的無非將來的計畫,碧湘有極大的想像力,與極敏的理解力,可是絕沒有自誇的態度。

"丁先生怎的總是這等傷心呢?這盛裝的地球不是很可觀麼?這飛鳴的黃鳥不是很快活麼?"清朗的五月的一天當我與碧湘在破壞了一半的長沙城上遊玩,她忽然很同情地這般問我。一路行來,我只顧貪看波濤一般的岳麓,與一帶縈廻的湘江;只顧貪聽碧湘很饒風味的談笑,與很有次序的論理,把可憐的我的老友,完全丟在腦後了,她這一問,陡把可憐的伯蘭又提到了我的心上。

"佩幃! 他那本詩集裏面的一首,叫做杜鵑的詩,你還記得麼?"

"我不大記得了。"

"那麼我念給你聽罷.

　'夜深了,

　你怎麼只是悲啼,

　敎我好不難過?

　我也想哭幾聲,

〔 22 〕

　　———不知爲什麼———

　　只是我不知應該對着那一個，

　　我倒羨你，

　　你在'深夜'的胸上伏着：

　　她肯聽你，

　　她會懂得你。'

　　"丁先生是多麼悲哀哪！ 怎的這麼大的一個
世界，會沒有一個知心的痛他的人兒呢？ 一個人生
在世界上孤孤單單地，獨自抱着冷淸淸的心兒，沒
有一個人容他分說，永教他抱着一塊笨重的石頭
一天天望着萬丈的深淵沉下，這是何等悲慘的事
啊！佩幃，我們應當救濟他纔好呢！"

　　"我們自然是要幫他，不過我眞不知道應當
從什麼地方下手纔是。你說密司劉對於伯蘭是一
種怎樣的態度呢？"

　　"是呀！我想對於丁先生那樣的悲觀的人，密
司劉是絕好的一劑調和藥。我深信她有這種力量。"

　　"那麼，你信一個人的性情，是可以用代數的
加法來加減的麼？"

〔 23 〕

　　碧湘這種單純幼稚的癡想，幾乎沒有使我把含在口中的煙卷噴出。我看他一路指手畫腳地說來，尤其是不禁要笑出來了。可是我由她那深思的眸子與悲楚的眉峯，知道她是很熱忱地在同我討論。

　　她的一言一語，一舉一動，於我心裏，在在反映着密司劉的思想，言論與行動；因為她們倆雖然都是很美，根本上很有許多不同之處。密司劉是一個意志力很堅強的女子，她的聰明，與碧湘不相上下，可是她的思想要精密些，不似碧湘那般的專任想像；所以我們若說碧湘的主義是理想主義，那麼密司劉可以說是一個現實主義者。

　　"丁先生自從結識了密司劉以來，笑也居然能够笑了，藝術也信起來了，近來連道德都很相信起來了呢。我信這是丁先生的一大轉機，所以我求過密司劉要她援助我們把他救出。"

　　"但是你相信密司劉，有永遠救濟他的意思麼?"

　　"我相信可以有，為什麼不可以有呢?"

〔 24 〕

"可是密司劉對於財政廳的胡惟白是怎樣的呢?"

"這胡先生不是結過了婚的麼?"碧湘很驚訝地向着我。

"凝孩子,你這種簡單的論理,終是要失敗的。這胡惟白也是和我同過學的,他的內底生活,雖然是腐敗不堪,可是帶了一付好看的小白臉;并且他的財產,他的勢力,不就是一種強有力的誘惑麼?"

可愛的碧湘雖然對於我這種懸空的論理,似乎不大相信,但是他只露着一種表示不贊成的微笑,并不反對我的言語。她是這般可愛的。長沙的古城漸次拆毀了,多少舊游的地方,早已莫由尋覓,她的明眸,也像在反映着追懷的流水。可是長沙的故城雖則亡了,愛與美與歡情,是永不能亡的!

(三)

晴快的六月的一天,我的小客房裏,有很風雅的談話進行着。

密司劉在翻閱碧湘的長沙風景畫,伯蘭在凝望着海青色的空裏,我最可愛的未婚妻,在替我跑

〔 25 〕

來跑去地張羅一切，我在背着手踱來踱去的來往。

"人生不知道是怎樣的一個傅立哀級數，大約是很複雜的罷。"突來的清風一般，伯蘭囘過頭來，這般說了，很鮮明地顯出適纔在他思潮中所吹起的漣漪。

"那麼，你也信了運命主義麼?"碧湘從那房門傍邊，很驚訝地囘過臉來，望了伯蘭一眼，這般說着，却又轉望我與密司劉，似乎想徵求我們兩人的意見的樣子。

"我雖然不信什麼運命主義，但是人生的現象，多是盲目的，偶然的，却是實在的了。"

"可是同時又是很自由的，所以我們可以自由地，在廣漠的生活的平原，把我們的運命開展着，創造着去。"密司劉說着，把幾束驚愕的光線之交點，用她右手的五指，帶往她的右邊畫一大弧，表示生活的平原之廣漠。說完了，却轉身望着我，似乎要求我的同意。然而我還沒有開口，伯蘭已經搶着說道:

"但是這種自由，是有限制的，是低度的，不是

〔 26 〕

高度的。"

"可是我們只要利用這低度的自由，就可以開拓我們的運命。"密司劉很從容地答覆。

"把什麼做目標呢？"碧湘很熱心地插着說。

"把我們生活的向上嘍！"

"可是我對於這種自由的範圍，覺得很可悲觀，對於這種自由的價值，也覺得很可懷疑呢。并且生活的平原，依密司劉所說，雖然是廣漠的，但是我們真能夠自由地往這平原裏把我們的運命開拓麼？"伯蘭這般說着，把撐起來了的半身，又崩山似的倒向搖椅中去了。

"這種自由的範圍，我們不能不說是很小，可是他的價值是在於我們自己去創造的呢。人性中有一種對於環境極大的順應性，丁先生莫非把他看得太輕了罷。照丁先生那樣說，人生譬如是一條盲目的河流，我們是在這河流中浮游着。可是我們一方面順應着潮流，一方面仍能夠慢慢地取我們想取的方向，仍能夠慢慢地游到我們想往的地方，或竟爬上我們想達到的彼岸呢。這都是很自由的，

〔 27 〕

幷且我們的順應性，也決不是偶然的，我們各個人與環境的背上，都背着一部很厚的歷史在這裏呢。人生現象中，多少不幸事的起原，是因為不去順應這盲目的，不可抗的河流纔發生的！所以若是想我們的生活向上發展，我們只要有堅強的意志，一方面順應着潮流，一方面仍向廣漠的，生活的平原裏，去開拓自己的運命，我想意志也是自由的呢。…"

　　密司劉的層出無窮的雄談，似乎還有滔滔不盡的形勢。我只瞪着目，豎着耳很驚喜地諦聽着，可是伯蘭與碧湘却似很不以爲然的樣子。可憐的伯蘭，已經漸次地復往悲鬱的深淵沉下去了。他眼前新得的微弱的光明，這時候又恍惚徐徐地消亡了，猶如那昏冥的薄暮。他的眼眶裏，好像泛着有一層火一般熱的紅液。他只垂着頭，再沒有勇氣來凝望那無邊的天際了——那依然是海青色的。

　　碧湘是很有藝術家的天才的。密司劉常說她是享樂主義者，本來她所取的，是一種觀照的態度，所以她對於密司劉這種現世的，唯物的，功利的，盲目的性情與思想，是根本反對的，可是她雖然聽了

〔 28 〕

很不滿足,却也不把來放在心裏;因爲我們不久就要結婚了,她心裏所懷着的希翼與歡喜多着呢。

(四)

我與碧湘結婚幾天了。

我感謝我們比麻還亂的國家。我很感謝,因爲滔天的洪水之後,她還給我與碧湘留有這等安閒的一塊樂土。

我常常一個人心裏這般想,當我於工作的中途,暫任我的回想振翼飛騰的時候:

——多少的人們,爲的想擴張自己一人的勢力,不惜把四萬萬的同胞全都麽殺了!

——多少的人們,爲的想謀自己一人的利益,不惜把國家的利權,同胞的命脈全都斷送了!

——多少的人們,爲的要滿足自己的虛榮心,在黃金的威力下匍匐了,不惜給他們爲走狗,爲賤妾!

——醜惡的人們喲!污穢了的是你們的良心罷!

——我眞不能不感謝,不能不誠心誠意地感

〔 29 〕

謝,感謝我的環境,感謝我可憐的,無告的同胞,關於我這卑微的,同時却很平和的生活。

——我是何等平和啲!我的良心是何等輕快啲!一切的誘惑,望見了我的門牆,是要往後退却的。

——我是何等幸福啲!可愛的碧湘是這般優美的!

一個人生在世間,假使忠心於自己的工作,能够不爲無益的外物所誘,很卑微地,但是很平和地,切實地生活着,本來還有什麽更可希望的事情呢?當我倦了歸來,碧湘無辜低唱,用一種慰安的,爽人的清音,把我疲倦了的神經,從新洗滌了的時候,我又何能不興起滿腔的感謝呢?

可是在我多少的歡情中,一天都忘懷不了的,是我可憐的老朋友。他是悲哀的冢子,愛的嫡嗣。愛是孤獨的,悲哀的。愛猶如黄昏時的鳴鳥,是要求一枝棲息的。可是他終竟不曾求得着,倒被悲哀迷住了。

可憐的是伯蘭。他的愛過於是偉大,他們不能

〔 30 〕

了解。他們把更偉大的丟了不顧，甘心去偷做那乞丐的妓女的生活呢！

仲秋的一天下午，我從外面回來的時候，碧湘很歡喜地迎着我，遞一封信給我，說道：

"丁先生來了信呢。"

我聽說是伯蘭的來信，也很歡喜地接過來開了。那信上寫的是：

"別來又是幾星期。你們大約已經在創造新的苦痛了；因爲'生活'給我們的只是苦痛，新的生活便是新的苦痛呢！可是你們也不要爲我這幾句語言傷感，我願你們好好生活着去！我現在復歸到故鄉來了，悲哀在我的身後推着，在我的胸上壓着。故鄉雖不是那般冰冷，但是他們在譏笑我，譏笑在'生活'，在'愛'都戰敗囘來了的我呢！他們所讚美的，所要求的，是更多的金銀，更多的罪惡呢！可是我還是感謝我們的祖國與人類全部，因爲我已經尋着了現世的一個小小天國了。我最可愛的櫻梯一般排着的姪兒們，小朋友們，在高揚着手歡迎我

〔 31 〕

呢！他們雖然多少被惡濁的社會染壞了，然而他們仍是未來的光明，未來的珠玉。佩幃！還是那句很簡單的話有至深的哲理啊，就是，'由教育到心的改造！'墮落了的現在的人們，把他們作為不曾生存的罷！我們祖國與全人類的真的光明，還是要我們犧牲一切去創造。我雖然這般弱小，我願把我的全身心，往這方面做去。……"

我看到了這地方，我心裏不知不覺地好像減輕了一個什麼。我暫時凝神禱告了。可是當我想再看下去的時候，碧湘又遞一封信給我，很不高興地說道：

"密司劉說她已經與胡先生訂婚了，教我們歡喜呢。"

——年—〇月四日於上海

〔 32 〕

牧　　夫

　　"樂山! 他們決定請你去教書了。"劉志剛把
他的半白的頭由兩手捧持着的報紙裏擡起來，向
着默然坐在他對面的青年如是說。這位親切的老
人的和顏，說時充滿了熱誠的欣慰，好像朋友的好
消息同時眞是他自己的了。

　　時候巳經將近中秋，晴空是一碧萬頃。晨風吹
來，立刻令人神爽，如可飛去。稻田中黃熟了的禾
苗，時爲一種緩而長的波動，同時幷傳來一陣陣的

〔 33 〕

低語。上海市外的鄉村，離開都市的喧聲，如可隱約聽出，到底是這般寧靜而清醒。

"是的。報上登出來了嗎？昨天晚上接到了王教務長的一封信，叫我馬上去商量鐘點與功課的。"正在領略那良晨美景的朱樂山，聽了老人給他的好消息，只簡單地答了數語，雖然心裏有無限的悲喜一時全湧上來，雖然有萬千的心事待說。

同他交好的朋友替他在N大學進言，已經不止一次；一回沒有結果，兩回沒有結果，直到暑期將盡，還沒有好消息來。他以為是絕對沒有希望的了；昨天接到教務長的信，他以為還是沒有決定的一回事，而他的拙於交際與四圍的仇人也決不肯容他成功，終要把他的事情破壞的。然而現在居然在報上發表了！兩年來求不到職業，零落不堪的他，放棄自己專門的科學，僅靠着做些無聊的文字苟延殘喘的他，飄零無所寄託，幸蒙這親切的老人收容塵末的他，現在居然可以得到一個大學教授的位置了！他見了對面的老朋友那欣喜的容顏，只覺心房激痛，蒼瘦的臉上流下兩行灼熱的清淚來。

〔 34 〕

"他們請你去教科學，幸而不是請你去教文學呢。"他的老朋友想利用他近來對於文學界的反感，把在他心中激動了的感情緩和下去。

"啊，文學，我們的文學界，我今誓與你永遠分離了！"想起了兩年來文學界所給他的委屈，他心裏不覺有萬千的憤恨燃起。

無知的羣小所盤踞的文學界，萬惡的政界一般的文學界！這是他對於兩年來的文學界的題詞。他自與幾個朋友從事文學運動以來，幾無日不在與四圍的惡魔對壘。嫉妬他們的人不是說他們的作品無聊，便是說牠們淺薄；無知無識的人不是譏他們頹廢，便是罵他們復古。反觀這些嫉妬他們的人與無知無識的人，不是拾起外國的一二廢物來大吹特吹，便是挾一部字典來亂繙亂譯，而都朋比為奸，利用政黨式的組織，欲以離奇的介紹與錯誤的繙譯書來壟斷一個時代。他偶然憤不可已，寫了幾篇批評的文字，便猶如離經叛道的人一般，被他的敵人多方毒打，旁邊的人竟無一人敢出來為他說一句話！

〔 35 〕

　　——科學界的朋友們！我把你們誤解了。我以前嫌你們只沒頭於你們的研究，不能作人生的觀賞，便跳出來想在文學界找出更同調的伴侶，更從容的旅伴，而今我所發見的，只是一些雞鶩般的爭逐，與狐狸般的欺狡。我真大錯而特錯！你們畢竟是自然的肖子。我將復歸到你們隊裏去。……

　　"那麼，你馬上去來罷！現在到上海去一趟，回來還不遲。我恭喜你！"還是親切的老人把他的思潮打斷了；他們倆懇摯地握手而別。

　　殘署依然猛烈，他坐在一輪的小車上，只覺背上在發燒。車夫的上衣已經濕透，臉上的汗珠如雨。他因為左膝的關節有病，不能多走，所以想坐到吳淞，再坐火車往上海。但他坐在車上只覺心中不安，而小徑的凸凹所給車夫的困苦，他由車夫肩上的筋肉的變化，也不由得感到幾分，同時不由得覺到一股針刺一般的震痛從心窩裏發出來在他的全身一陣陣地傳走。

　　終於到了，他毅然跳下車來，他心裏總覺得輕

〔 36 〕

快而平靜了。雖然還不到半途，他却給了車價的全部，還另給了車夫幾個銅子。他與車夫叮嚀話別之後，頓覺大自然慈惠而澄美，也忘記了他的蹩腳，只管前進，一面想念這可憐的車夫不已。

——他不是生來給人拉車的，他一樣是人的兒子，可憐的車夫！像我這樣的寄生蟲，我真不知道有什麼面目與他相見。我真遠不如他！至少他能自食其力，而我只是一個無能的寄食者！——

他在他的老朋友劉志剛家裏寄食，雖然是出自老人的好心，雖然他每天自告奮勇為老人去放馬牧牛，有時還辦些家庭的瑣事，這些都不能為他寄食他人的辯解。而最使他自己禁不起內心的苛責的，便是他所素有的對於文藝的懷疑。

——我所做的東西，除了對於自己多少有點意義之外，對於世人究竟有什麼貢獻沒有？我的作品不是沒人喜歡，我的批評不是被人稱為搗亂了嗎？即使這些話全不足信，可是我的作品對於人類究有什麼好處？能給他們一點安慰嗎？我的作品未免過於是主我的了。能使他們增進生活的意識嗎？

〔 37 〕

我的才思未免在生活的面前過於無能了。對於人類既無所貢獻，而我的寄生倒先給了善良的人類不少的負擔。這可憐的車夫所備嘗的生活的痛楚，一部分怕是應當歸咎於我的罷。——

——好了——他想起現在在他面前閃耀著的新的希望來——好了，我現在至少可以減去我所加給你們的這一部分的負擔了，可憐的車夫！可憐的人子！可憐的我白髮的母親！——

他想起了去年冬天回家省親的時候的事。

"兒呀！你在外邊幹什麼事？怎麼還沒有做官？你看別的人多好！"

他只低著頭不能回答。

是的，別的人都好。他家裏的裁縫，革命之後，進了一個三個月畢業的政法速成，現在已經做過了幾任的縣長。他家裏的廚房，也只這幾年的光陰，居然在軍隊裏面做了團長，他在津浦車上還遇見過不只一次的。他家門口駕渡船的曾大頭，也不知在那裏弄到了一點錢，三四年前，買到了一個厘金局長，自去年來，用了十八萬元買通了省政府，買通

〔 38 〕

了省議會,買通了各報館,居然把一省金融的總機關造幣廠一手包辦,自己做了廠長。⋯⋯

這些都是革命以來人民所得到了的好處。只有他呢,雖然把他的雙手十指湊攏來,還不夠計他在外國留學的年數,他卻是窮不能以自存,歸國以來,終日在爲衣食奔走。

——然而,可憐的白髮的母親!你現在可以對人高談:"我們家裏的樂山,也做了大學堂的教習了!"可憐的母親!大學是最高級的學堂,大學的學生是一些最優秀的分子,大學的教員是一些最著名的博學。——

他在這樣幻想之中,不覺已經行到了吳淞鎭口。

N 大學的校址在上海市的東北,地點雖然不佳,建築倒還宏壯。一進大門,便有鋪滿了綠茵的操坪一片,使纔從惡濁的街市走進來的人,油然感覺一種美感,不由得要被引進了到別一個境地裏面去。

〔 39 〕

"請跟我來。"學校的號房向他點一點頭，便轉身向裏面行去，一直把他帶到一間掛有'教務長室'的牌子的房間前面。由半開着的門，已經可以看見窗前桌上，有一個中年人在那裏埋着頭寫字。號房先進去說了一聲，只見他立起身來，搖搖擺擺地直朝房門突進，門還未全打開，便聽見他口裏嚷着：

"哦，密司忒朱！多年不見了。"

這說話的聲音，不僅是故鄉的土音，而且確是曾聽見過的；這胖胖的臉與慘白的一雙眼睛，也好像在什麼地方見過的。朱樂山不由得只管瞪着這位教務長先生發默。但同時只覺耳膜微響：

"我便是王繼忠，我們是老同學，你忘記了麼？"

"哦，你幾時來這裏的？我一聽你的聲音，就覺得有點奇怪。"

"說來很長，你請進來坐下。"

他依主人的招待就坐，纔覺得由疑惑與驚異恢復了。室中的陳設很簡單，書架上只有些薄册橫陳着。

〔 40 〕

"我們這大學原來是一所高等師範學堂，不，原來是所中學校昇到高等師範學堂，再由高等昇到大學的。我與校長何先生同是這學堂的創辦者。我自在中學鬧事出來之後，流浪了些時，就跑到這裏來與何先生創辦了這所學堂的。你的消息，我常聽見他們說起，在報紙雜誌上我也時常看見你的名字的。還是你們拚命研究學問的好，像我們這些人是什麼也弄不出來的。"

主人說到此地，舉杯吞一口茶，暫時疑神之後，繼續說下：

"我們是老同學，用不着客氣，老實講，我們現在只有幾個教國文的老先生，與幾個預備去當買辦的教會學堂的什麼學士，科學方面的好一點的教員是一個也沒有。所以前幾天開校務會議時，我極力薦你為科學的主任教員，決定請你來辦理一切。"

主人的話似乎已經約略說完，所以他開始在搖椅中前後搖擺。朱樂山聽了這一大篇的話，知道了教務長是一個什麼樣的人，知道了教員是一些

〔 41 〕

什麼樣的人，頓覺這朱楹白壁的華堂，猶如除了一座木人土偶，空無一物的禪院。

"你們爲什麼不多請幾位好一點的教員呢？"

"何嘗不請？有的嫌薪水太少，有的嫌學生程度太低。"主人暫時把搖擺停住。

"你們招生時，把什麼程度做標準？"

"名義上是要中學畢業，但事實上却不能如此。若選擇過嚴，現在這班學生，實在沒幾個有入學的資格。"

陽光已經打斜，把一株半禿了的梧桐映在西邊的玻璃窗上來往；微風悠悠吹着，送來一陣陣秋蟬的單調的聲音，益發覺得是空林深院的情景。

——我便是牧牛牧馬，寄食人家，也犯不着來這禪院驅鬼——朱樂山這般自己對自己說，

"回來了，學校的情形怎樣？"他的老朋友誠懇地接着他，

"我決計不去同他們入禪院驅人驅鬼。"

"這是怎麼一回事？"

〔 42 〕

他見老人很驚訝，便很簡單地把N大學的內容說了，末了還接着說：

"像這樣，從事教育的人只管務虛名，絲毫不重實學，致使一般青年學子也只慕大學的美名，同來欺人欺己——像這樣，我們中國的教育絕對不能進步，我們的社會也萬無改良的可能。我恨不能把這一團魔鬼一拳打得粉碎。我是餓死都不同他們去鬼混的。"他一邊說着，一邊仍復把他的草帽帶上了，

"你還要到什麼地方去?"

"我到田裏去看看馬與牛來。辦那樣的教育，不如去教牛教馬還要安心些。" 說着，他便轉身出去了，

暫時之後，只聞遠處吹起了一片牧牛者的歌兒。

八月二十一日

〔 43 〕

海 上 吟

及其他十五

海 上 吟

（一）

背負朝陽，

樹林裏行來處，

遙聽得潮聲低起，

〔 45 〕

遙望見青青無涘；

一筆長天如劃斷，

孤帆若驚乘風駛，

片片浮雲，

愈現出水明山美，

漁家掩映綠林間，

萬象靜來如死，

浪翻雪，起仍滅，

人在晴光裏。

（二）

我步兒漫移，

你潮聲低咽。

年來失去的自然，

重逢更加淒切，

山腹橫霞頂流翠，

對此令人神悅。

低頭處，潮來往，

新痕滅舊痕，却腸結。

（三）

〔 46 〕

汝神祕之象徵，

汝無窮之創造。

汝宇宙之一毛，

吾又汝千山之一草，

草！可憐的草！

汝烏知生之所自來，

與汝生之所宜趣，

逡隨秋色而終老！

（四）

我心隨潮上下，

我血如波潛躍。

這碧海茫茫，

這平林漠漠；

難道都是夢中幻影？

又難道昔年情景，

是今年的空中樓閣？

Demiurge, 你好頑惡，

你總要我忘不了，

生之煩惱與現實之不樂！

〔 47 〕

（五）

小小清流的河口，
一年年被砂堆封住。
這潮的威力可怖！
我今覺得你可憐，
但我心只是如砂，
任你淘去淘來，推打萬度，
只不失我的微光，
如清宵之冷露。

我　　想

（一）

　　我想作一個長行客，
朝從東山發，
　　夜到西河歇；
一天又一天，
　　一月又一月。

〔 48 〕

山啊，水啊，空氣啊！

　　好好唱你們的奇歌，

使我長愉悅。

　　　　（二）

　　我想望着白雲行，

夢一般的靜景，

　　會使我的病魂飛起輕輕，

輕輕，吸着玉液一般的清氣，

　　背着祥和的光明，

去啊，去啊，無窮的煩惱，

　　開啊，開啊，低迷的遠道，

好好讓吾行。

　　　　（三）

　　若是天下雨，

這莽莽的乾坤，

　　會只聽見天公親語，

他那源源而來的雄談，

　　要使我騰空歡舞，

要使我心靈的微光，

　　　〔 49 〕

和枝上明珠一般的玲瓏，

長向雲間吐。

(四)

我們住的這個小星，

都是我們的逆旅，

還有什麼家庭？

我只有我的親母，

——就是我的心靈——

我還有什麼親人？

啊，這都是從前的迷因，

我今如夢醒。

(五)

啊，讓我作一個Wanderer！

我這有限的生涯，

不能長為社會的馬牛而終老。

啊，不盡的潮流！

我不堪再同你跑；

我要于你的範圍以外，

求我的真存在；

〔 50 〕

啊，讓我作一個Wanderer!

房 州 寄 沫 若

寫給昔日的同遊；

此地的風光依然如故。

一灣沉靜的碧海，

不枉他的名兒喚做鏡浦。

一望明沙的後面，

幾路滴翠的松林，

夾着一層層的田壠……凝綠，

只是你千萬不要誤認了，

以為仍是他舊時的衣服。

他是年年更換的，他換了幾回了！

若問他往年的衣裳那裏去尋！

却誰也不知道──也無人能說，

〔 51 〕

— 69 —

歸東京時車上

　　清流一般美的，
　　甘露一般甜的，
　　夢一般的光陰，
　　飛一般的，
　　呵，又完全消失了！

夢　一　般　的

（一）

　　夢一般的，
　　經過了地方多少。
　　我隨着人生無限的潮流，
　　早漂到這裏來了，
　　我疲了，要暫時停住，
　　啊，你怎麼只是流去？

（二）

〔 52 〕

忙迫的生活，

今天慮着明天的事，

晴天又愁着下雨的時候，

一刻也不能安息，

啊，不盡的潮流，

你要把我推到幾時才肯留？

（三）

茫茫的行路，

不住的夢中飛度，

倦了醒來，

醒來仍是夢，

啊，我們的勞動，

都是爲的這夢。

靜　　夜

（一）

死一般的靜夜！

〔 53 〕

我好像在空中浮起，

渺渺茫茫的。

我全身的熱血，

不住地低聲踴躍，

我的四肢微微地戰着。

（二）

我漂着，

我聽見大自然的音樂。

徐徐的，清清的，

我跟着他的音波，

我把他輕輕吻着，

我也飛起輕輕的。

秋　暮

（一）

淡灰色的圓天，

衰黃色的原野；

〔 54 〕

蕭條，沉默，悲哀，
我夢的一般前去，
我心裏緊被壓住。

（二）

日暮，
一天的讌歡，
又早酒闌人散。
西風裏切切的，
一聲聲哀響：
"他去了……
不復還。"

白　雲

（一）

大塊白雲的裏面，
露着一個深湛的青天，

〔 55 〕

哦，我怎麼樣想跳進你

這井裏面，

解我無窮的煩惱！

（二）

海青色的天空裏，

漂着一塊冰一般的輕雲，

哦，我怎麼樣想把你

一口氣吞下，

消我胸中的炎火！

哦，我 的 靈 魂！

（一）

哦，我的好孩兒！

我教你莫啼，

你又哭不出什麼來，

你怎麼只是這般爹呀爹呀的？

（二）

〔 56 〕

哦，我的好孩兒！

我知道你正傷心，

但是說給我聽，

人家把你怎麼樣了？

（三）

我知道這現實的壓迫，

你自然是一天都不能甘受。

我們這一天一天，

過的是一些屈辱的生活！

（四）

我也心念故鄉的青山，

和他明鏡一般的流水，

他那海一般的天空，

這時候都恍惚，

深深映在你光明的眼中！

（五）

你只催說不如歸去，

歸去當然是不可緩。

但是我們受罪還只十年，

〔 57 〕

還有一年未滿。

(六)

你不要悲前途遼遠，

你要知道你還是幸福，

只要你長能伏在我的懷中，

我長能吻着你的前額

——和現在一般。

(七)

哦，我的好孩兒！

你不要哀號，

上帝會來保佑，

你是這般好！

疲倦了的行路

(一)

疲倦了的行路！

我還要注定前途，

〔 58 〕

和着勇敢的軍歌，

不住地前往。

(二)

我想我就會倒下來，

這下面的第一步。

因為我侵早起來，

就是這般昏昏沉沉的。

(三)

我覺得全身火一般的燒着，

一刻一刻的在分解，

只等那最後的爆發，

——那破壞一切的。

故　　鄉

(Religious emotion)

(一)

無限的路程，

〔 59 〕

走得我眼眩足痛，

啊！天色早黃昏，

我怎麼一步也難動？

（二）

啊！故鄉何處？

讓我囘去了罷！

一個人行路無依，

我心悽慘，我愁，我怕！

（三）

萬事都是徒勞的，

況身心正疲倦處。

故鄉雖說雨打風吹，

啊！讓我回去！

冬　天

（一）

唉！一年的光陰又要流盡了，

〔 60 〕

北風吹得早淒涼極了，
也不管我心潮狂跳！
一片黃瘦的草和着枯葉，
瑣瑣細細都向我愁說。

(二)

青天分外的加高，
光輝減得多了！
這空中慘淡的風潮，
一刻一刻的險似，
使我夢想世界的末日。

(三)

我心被壓得重重，
我疑我的血液已不流動。
堤上空枝同我陣陣的戰慄，
就是不老的青松，
也怪暗淡的！

(四)

一個漁夫駕隻船兒弱小，
這風潮險惡如何得了？

〔 61 〕

身心久已疲極了，

上下四方一看——

咳，誰邊是岸！

殘　雪

（一）

啊，美的末路！

啊，善的殘骸！

Apollo 的神箭，

射得你莫容存在。

空剩有血流荒野，

空剩有淚如珠下。

也不知要流到幾時。

啊，這是真的真知？

（二）

啊，我想起你當初的元氣喲！

要把這衰殘了的宇宙，

〔 62 〕

雲時間完全美化了。

我如何的喜歡！

我如何的感激！

啊，誰知這都是運命的遊戲！

最高的善，

最後的美，

也就無容身的餘地。

使我心哀，

使我心灰。

冬 的 別 辭

（一）

啊，我的好朋友！

你今聽我言，

　　我將住不久。

人間將見陽春重到了，

　　小孩們都唱着歌，拍着手，

〔 63 〕

我們暫時要別離，

　　啊，我的好朋友！

(二)

　　啊，我的好朋友！

你還聽我言，

　　但是春光也住不久。

你見了那最初的落葉，

　　那便是這世界將歸我有，

這莽莽的世界……

　　啊，我的好朋友！

(三)

　　啊，我的好朋友！

我縱然去了，

　　我不是儘管閒着手，

我於無影無形中，

　　推着世界飛的一般前走。

流動纔是世界的真相，

　　啊，我的好朋友！

(四)

〔 64 〕

啊，我的好朋友！

你却不要，

　　　只管癡醉人間的暈酒，

那四季的名花會問你，

　　　你尋着了你的幸福沒有？

你最心醉的幸福？

　　　啊，我的好朋友！

　　　　　（五）

　　　啊，我的好朋友！

他們會問你，

　　　　你怎枉自做奴隸許久？

他人的，家庭的，社會的，

　　　　似乎更將如此白首，

你逗現在青青的，

　　　　啊，我的好朋友！

　　　　　（六）

　　　啊，我的好朋友！

他們會問你，

　　　　你怎只這般形枯面垢，

〔 65 〕

好像風前的微光，

　　　　好像陳屍一般病朽？

往日之靈光那裏去了？

　　　　啊，我的好朋友！

　　　　　（七）

　　　　啊，我的好朋友！

他們會問你，

　　　　你怎把你心靈的羽翼辜負，

不教他飛騰大空，

　　　　將他慈母的和光享受，

却為何死咬着土？

　　　　啊，我的好朋友！

　　　　　（八）

　　　　啊，我的好朋友！

你可以醒來，

　　　　陽春笑着在向你招手！

彩雲飛舞你的面前！

　　　　神樂來從你的身後！

你可以醒來，

　　　　〔 66 〕

啊,我的好朋友!

春　　樹

（一）

我一見你新鮮的枝葉,

我如夢初醒,

我全身的熱血,

忽忽的奔騰。

呵,生命的火,

你到底還是燃着了!

（二）

我看見你的柔枝,

活潑潑地正在風前跳舞着,

你還唱着清歌,

同輕妙的鳥聲相和,

使我魂清魄清,

使我心輕骨輕。

〔 67 〕

(三)

啊,可愛的枝枝!

可愛的葉葉!

使我們同享生命的靑春,

他的榮光,他的歡樂!

使我的心靈吻着你,

合着大自然的諧音,同你歡躍!

一　刻

(一)

我把我的功課停作一刻,

我迴想一切,

大自然正奏着他的 Symphony.

啊,我剛纔恰只夢的一般爲他

奏了他極微小的一部分。

啊,我將來永遠——永遠——

還要爲他盡我的精勤!

〔 68 〕

（二）

最奇怪的，

我雖然歇了，

他的 Symphony,

依舊莊嚴雄厚，

好像是對我的一種譏刺：

你真可有可無，

你好微弱，你好纖小。

（三）

呵，悽慘的運命！

呵，絕望的人生！

他送強大，我不能憎。

他送尊貴，我不能愛。

但我那能不愛？

我是他的土做成的，

我還要復歸他的土裏。

（四）

罷了！讓我的血流，

還爲他傾瀉，

〔 69 〕

讓他的讚歌，
還彌漫宇下。
因爲萬事都是他的過程。
也就是我的過程，
向無窮的過程。

〔 70 〕

送春歸

(一)

送君歸去，
我心裏悲哀，
口裏雖說不出。

(二)

好比年輕的癡兒
怨與心愛的人離別，

〔 71 〕

— 89 —

合歡猶未久。

(三)

正擬全力爲歡，

却怎忽忽歸去，

這等忽忽地？

(四)

且休說來日色改枝空，

只這往事重重，

可堪回首？

(五)

送君歸去，

我心裏悲哀，

口裏雖說不出。

9,5,1922

〔 72 〕

長沙寄沫若

(一)

沫若！

我們酷肖兩塊浮萍，

飄搖無定的。

多年別離後，

我與你攜手同鐺，

柳暗花明的時候。

〔 73 〕

同遊上海不久我又遡江，

又不久你也東去。

囘想起來，

猶如前天的一個夢！

你還記得麼？

哦沫若！

（二）

沫若！

我想起我歸航的時候，

海水只是茫茫，

歸心空自如箭。

可是我們的心窩裏，

充滿了無窮的歡悅，

因爲海水的一波一波，

不住地在把我們推近祖國。

我們那曾夢想，

只有Dis-illusion 的悲哀，

等着在我們前面。

你還記得麼？

〔 74 〕

哦沫若!

（三）

沫若!

江水茫茫,

原野青黃,

平和之鄉!

哦我們心潮的震蕩!

你倚船念你的新詩。

我只感極無辭。

這是我們入揚子江的情況。

你還記得麼?

哦沫若!

（四）

沫若!

可是這種歡情,

註定了是不能長久的。

我們重履故土,

最初的印象,

就使我們大失所望。

〔 75 〕

我們夢中的故鄉，

不是這般的。

錦繡一般的河山，

只見些長闊的屍，

淫囂的肉。

你還記得麼？

哦沬若！

（五）

沬若！

我們懷着鬼胎，

望着西湖前去；

春季的西子，

晴光眩耀空際。

可是污濁的先錄，

已經壓到了西湖的邊上，

相離恰只一線，

那邊翠峯林立，

在不斷地把輕霞徐吐。

惡濁的世界當中，

〔 76 〕

這算是一坏淨土。

你還記得麼？

哦沬若！

（六）

沬若！

我們從柳浪聞鶯，

步行到雷峯塔下。

柳絲緩舞，

鶯歌清唱，

可不知這聲樂家藏在那裏。

四圍都是岑岑寂寂的。

澄清的空氣在反映一些，

草木新生的歡意。

遠遠地一個老頭兒，

在鋤些什麼。

他做一剗工夫，

又倚鋤默領些湖山秀氣。

我見了這舊時代的遺骸，

便想問問他：

〔 77 〕

'你們知道麼?

你們把中國弄到甚麼田地了?'

你說:

你想跪下去抱着他的脚兒,

叫他一聲'我的爹',

把他脚上的污泥,

舐個乾淨。

你還記得麼?

哦沫若!

(七)

沫若!

我們第一天跑了一天。

第二天我們改作了舟遊。

經過馮蘇秋槿諸墓,

一直來到岳墳。

我見了那種寥落的光景,

不由得心窩酸痛。

我見了你也恭恭敬敬的,

脫了帽子。

〔 78 〕

我們從那裏又舟行到三潭印月，

那時候巳經有了微雨，

從那裏到孤山，

進西湖公園躱雨，

那邊來了幾個寫生的女郎，

你說：

可是 Unschoen，

從公園到圖書館，

只見些空空洞洞的房屋，

後來發見了你的同鄉，

一個人在那裏翻閱什麼，

名字可記不出了。

你還記得麼？

哦沫若！

（八）

沫若！

第三天因爲天氣不好，

在旅館困守了半日，

你整好了你新得的詩。

〔 79 〕

那天下午我們乘火車回滬。

你在車中作了,

你那'司春的女神去了',

你嫌你那,

'可惜如今的詩人還在吃奶'。

我說:這是事實!

你還記得麼?

啵沫若!

(九)

沫若!

不久我就離了上海,

衝破那黃絹一般的長江,

歸到了屈賈行吟之地。

岳麓山的春色方闌,

水陸洲正新添翠氣。

可是長沙是一些死人的都市。

我天天好像在死屍堆裏行走。

我比在外國還覺得寂寞。

一望都是污濁。

〔 80 〕

他們在作一切的惡，

我本想便離長沙，

或竟往深山裏住。

只是到如今還未曾去。

長沙的生活倦厭了。

生命的琴絃疲極了。

我想要痛哭一場。

哭到生命的琴絃復活。

我可不知該向那個。

這裏可也沒有一個，

有個住在海的那邊

我可不能飛過，

這都是我同你寫過的，

你還記得麼?

哦沫若!

(十)

沫若!

我離上海的時候，

你說要來遊洞庭，

〔 81 〕

弔靈均與湘靈。

你不曾來，

我不曾去。

兩個淒切的遊魂兒，

一個遠在天涯，

一個飄零地角，

相命人謂我今年難過，

我固不信運命，

只是人類的一生，

若長是這般疲倦，

就死了也無足惜。

不過把這惡濁的世界，

丟給這些惡人罷了。

哦只是我們那歡樂的時候！

茫茫已長過，

何由可尋獲？

哦夢一般的歡樂！

你還記得麼？

哦沫若！

〔 82 〕

歲暮長沙城晚眺

(一)

只是這般一天一天的٫

殘秋去了！

幾天又將冬盡！

(二)

天只是這般青青的٫

地只是這般濛濛的٫

人只是這般昏昏的٫

〔 83 〕

（三）

登城晚眺，

極目傷懷。

我心悒悒，

曳杖歸來。

十年十月十三日

海上的悲歌

（一）

潮水斷續地悲鳴，

海灣如像死一般的寧靜，

只有碎了的心兒啊，

在為他最後的激震！

（二）

'她' 畢竟死了。

運命的神啊，

終不輕輕放鬆了，

〔 85 〕

這可哀的兩個！

（三）

他那理想主義的心兒，

不時在夢想未來的幸福，

與一可愛的人兒，

——自己全心身的補足。

（四）

然而運命的神啊，

那強迫一切的，

強迫他容忍別的一人，

他不曾相識的。

（五）

是他那理想主義的心兒，

把'她'拒絕了。

反抗一切的教條，

把成文毀棄了。

（六）

但是運命的神啊，

終不曾讓他超度；

〔 86 〕

他也知道在他的面前，

早排好了三條死路：

(七)

"假使我與'她'輕結了

沒有愛的婚姻；

這不是我與'她'手攜手，

進了開了口的墳塋？

(八)

假使我與'她'脫離了，

他們偏不容'她'存在；

那不是我的心兒，

終於要被'她'粉碎？

(九)

假使我與'她'脫離了，

'她'幸而還能生活，

然而像我不能愛人，

人們也會不能愛我！"

(十)

運命的神在他面前，

〔 87 〕

排好了這三條死路。

任他挑還一條，

只不容他超度。

（十一）

'她'畢竟病死了，

脫離還沒有多時；

他的心兒碎了，

海鷗來啄來撕。

（十二）

也許不是由他而死，

病而他的心兒啊，

忍不住要如那片孤雲——

一霎時碎爲了幾朵。

（十三）

可是碎了的雲片，

幾時還可以聚攏來；

只有碎了的心啊，

永不能再成一塊！

（十四）

〔 88 〕

在他的死屍上，

海鷗在啄在撕；

心血流漓四下，

不知要流到幾時。

（十五）

他閉了的眼前，

幻影般顯現着一番前事，

是他把個半死的女屍，

刀剖，斧劈，以至於死。

（十六）

是運命驅使了，

他的社會與家庭，

共演這悲慘的一劇，

強他做了主人翁。

（十七）

他盡力的反抗了，

有如那不屈的海潮；

想湧上岸來，

終於是曳兵而逃。

〔 89 〕

（十八）

在運命的掌中，

海在揚聲哀哭；

穿着灰色的衣裳，

髮蓬蓬把臉兒遮覆。

（十九）

海洋想用自己的淚珠，

爲他把血流洗了去；

然而淚珠還沒有觸着血流，

早巳紅了起去。

（二十）

潮水斷續地悲鳴，

海灣在傾耳而聽，──

碎了的心兒啊，

在爲他最後的激震。

十二年一月

〔 90 〕

詩 人 的 戀 歌

(一)

我要把歌兒擧首高吟，

如像一片孤雲，娉娉婷婷，

要在一個甜美的心琴上，

招起同情的熱烈的交鳴。

(二)

歌兒，啊，悽切的歌兒呀！

爲我往長空高昇高昇罷！

請把我的孤獨與我的悲哀，

〔 91 〕

化朵花兒敷在她的脚下！

（三）

如果她肯愉快地歌舞起來，

請把我的孤獨與我的悲哀，

化陣風兒把她的翅兒扛起，

使她可以如意地飛繞旋迴．

（四）

如果她心裏憂愁，或是恍惚，

請把我的悲哀與我的孤獨，

化片巾兒由她把一切揩了．

不論心裏的微霞，明眸的雨露。

（五）

啊，痛呀！當我這般想時！

這些都是夢想，我不曾知；

我的歌兒如個黃昏的飛鳥，

飛去飛來，只不曾尋着一枝！

（六）

是狂風把我的歌兒遏了？

是長夜漫漫東天猶未曉？

〔 92 〕

還是我的歌兒力弱聲微，

不能飛近她的身傍旋繞？

（七）

啊，可愛的石頭般的人兒喲！

我應當如何把歌兒琢磨，

總能合你的心，如你的意，

總肯傾你的耳，吟你的歌？

（八）

歌兒，啊，悽切的歌兒呀！

爲我往海洋的深淵沉下！

請在個一望渺茫的地方，

使海洋爲你抑鬱而悲歌罷！

　　　　十二年三月十六早初稿

〔 93 〕

白　　雲

白雲一朵朵

從我頭上輕過；

衰黃的枯葉

在輕舞而徐歌。

落葉依於枯草，

時反側而嘻吁；

蟲聲唧唧在哀鳴，

也不知來從何處。

〔 94 〕

我遙睇着白雲，

想到海上孤征的親友；

我們別來已昨日，

白雲啊，你去，去爲他的孤侶！

百年聚首幾時，

此別尤多惆悵；

朋友啊！努力永遠的前程，

我們千里遠相望。

邃夫北上後一日於曹家渡公園作

〔 95 〕

早　　春

及　其　他　九　首

早　　春

雖然是乳濁的天空，
却已有和藹的陽光充滿着。
鳥兒已在低鳴，
好像是預告陽春將到了。

〔 96 〕

枯樹在朔風之前戰慄,
秋來的甜夢微醒;
全身充滿了更新的生力,
只待好春的到臨。

懺悔的冬裳已將褪盡,
Persephones 在地底欠伸;
只我個悽切的遊魂喲,
何年纔有更生的榮幸?

春

到底是春天的景色,
是生氣膨涨着在了!
乳白色的低空裏,
有微弱的光芒閃着,
是纔醒了的'時辰'
半開她的睡眼了!

〔 97 〕

斷　片

我心只是悽悽切切地
漫無着落地馳驟。
你爲甚使我這等悲哀？
啊，你無涯的天海！

小　坐

（一）

飄搖，
我在跟着人羣飄搖。
這悠永的日日，
我只是飄搖，飄搖。

（二）

人生已飽和着疲勞，

〔 98 〕

於我太荒涼而冷酷。
我無狂熱為歡，
也無熱忱可以歌哭。

（三）

在這飄搖的生活之中，
只這時候我心清沖，
當我偷閒小坐，
坐看生命之流湧去忽忽。

（四）

生命之流湧去忽忽，
掣動在狂擁而昏昏；
我飄搖着，
在掣動飄搖之中。

昨日檢點行篋，偶落舊紙一方於地；今早拾起來
一看却是一篇短詩。題下僅書十二月廿五夜，已
經不知是何年寫的。返湘以來，生機絕盡，偶讀
此詩，覺流浪上海時之心緒猶為難得。

十四年十月十三日

〔 99 〕

夢　見

夢見一個美好的人，
我鄭重地親了她的芳唇，
夢中的親吻啊，
哦,可戀的夢中的親吻!

徬　徨

汽車從我前面奔來,
汽車從我身後馳過,
裝了些桃紅的人面,
流了些高聲的笑語,
　　與沉醉的歡歌。
呵,人面,笑語,歡歌!
小牆陰處。
一對人兒在呢呢私語。
啊,我願,

〔 100 〕

我願我能立刻
化成一個矗立的石柱！

醉　　醒

是誰把我推出來了，
由這一重重的門戶？
我踹跚着出來了，
可我不知當往何處。
哦，請不用再把我推往外邊，
我將倚戶而眠！

April 1923

雨

欲停還雨，
我立窗前，

〔101〕

默默無語，

半角天空如乳。

冥濛的雨中，

斜煙在凝盼。

April 16, 192?

當我復歸到了自我的時候

當我復歸到了自我的時候，

我只覺得我生太幸福了，

世界是這般闊大而光明，

全不是往時那般暗，那般小，

當我復歸到了自我的時候，

然而我又未免油然慘傷，

想起了我生如一個孤影，

悽切地在荒原之上彷徨。

〔102〕

march 17, 1924

微　禮

哦,可愛的年輕的姑娘們!
請受我這無言的微禮!
十分地快活而歡呼罷,
在我們地球母親的懷裏!

不行春風已經來到水面,
已經來到枝上,林間;
你們的活潑的嬌姿,
已使我感激的淚珠盈眼!

可愛的年輕的少女們嚇
春光一去,永不復囘,
十分地快活而翱翔罷,
莫更遲疑與憂悔!

march 16 1924

〔103〕

清 明 時 節

及 其 他 三 首

二十八年前的今天

二十八年前的今天，
我飄然降臨了這紛擾的人世，
從不可知的縹渺的地方
往不可知的地方的途次。

我無端做了人的愛兒，

〔104〕

人的親愛的小兄弟，
這短短的二十八年之中
却玩過了運命無窮的遊戲。

家國的憤火五內如焚，
身世的煩憂不可終息，
慈祥的父母早巳先我而偕亡，
親愛的一人也巳入土而長寂。(註)

如今我是孑然一身，
我的良友呀，孤獨與哀惰；
秋來怎如是的忽促？
我在熬受我的人生。

二十八年前的今天，
我飄然降臨了這紛擾的人世，
從不可知的縹渺的地方
往不可知的地方的途次。

十四年八月

〔 105 〕

（註．病兄長年前・註）

悔　恨

青春時代的甘芳的簡篇將閉！
呵，可愛的青春，幻美的青春！
呵，我的幻夢般的青春已不可再，
再也不能回復我青春時代的心情！

一切都如幻影，一切都如夢中，
我便在昏憬之中早把青春斷送。
呵，倘若我能把我的幻影追蹤。
倘若我能再把青春的甘醇痛吻！

Feb. 1927

當我忽地從夢中醒來

〔105〕

當我忽地從夢中醒來，
從夢的迷離與縹渺，
我低頭自語道：
我把我的青春誤了。

那是何等美麗的時期，
整個人生的精粹！
過此以後的人生呀，
何異於淒涼的荒地？

但是啊，當我忽地醒來，
我已遠離那兒的國境，
再回那光榮的國土呀，
不能，啊，永不再能！

我仰望人生的高峯，
我的淚珠如雨；
啊，悲劇的人生呀，
人生的悲劇！

〔107〕

June.4,1927.

清　明　時　節

一片橙黃的淨土
掩埋着一個多情的人。
微雨紛紛的清明時節，
我與你憑弔孤魂。

北郊的山水清幽，
路上行人無語；
只時有鞭爆遙鳴，
紙錢在塚叢間翻舞。

我們都默默前行，
好像是被人驅趕；
爲一個無名的女人，
詩人們不勝哀感。

〔108〕

她是一個多情的人，
她的短短的一生，
有如白合在開花的時節
被風雨打入了這座墳塋。

請莫問她生前的情史，
更休言她死時的哀豔；
妍醜與貧富殊流同歸，
華美的墓碑又何足羨？

我們圍繞在她的墳邊，
暫時喧語，終遠沉默，
我們俯視埋香的土塵，
我們仰望浮雲的天末。

這兒是她的頭顱
這兒是她的雙足，
這兒是她的美好的心，

〔 109 〕

再鼓動呀，她已永不。

此處四圍有低山環繞，
是絕好的一座墳塋；
遠望有一條迂緩的石路，
是人生無限的行程。

或許有過路的行人，
從這死與生的國境，
暫停住疲倦了的行路，
遙望叢塚而長嘆一聲。

亦許有多情的山鳥
時從遠近的林木飛臨，
用了動人悲楚的歌唱
流出些深藏地底的哀情。

但是這兒有寧靜與和平，
常有多情的舊友探問慇懃。

〔110〕

也許再有不相知的遊客，
你我一樣的流浪的人。

一片橙黃的淨土
掩埋着一個多情的人。
微雨紛紛的清明時節，
我與你憑弔孤魂。

June 9,1927

〔11〕

歡　迎　會

人物　　張克勤　工程師　　——　　年二十六歲

劉景明　女學生　　——　　年十九歲

劉啓明　中學生　　景明弟　年十五歲

劉德明　女博士　　景明姊　年二十七歲

劉　母　　——　　景明母　年五十歲

劉敦厚　富紳　　景明父　年五十二歲

劉顯明　博　士　　景明兄　年二十二歲

王永芳　博　士　　德明夫　未登塲

時代　民國十一年秋天的月夜

〔113〕

地方	上海

佈景　劉公館客廳。後壁左側有三分之一爲玻璃窗,窗
　　　外爲花園。窗下有風琴一架。

　　　左側有門通書房。右側有門通外門及別室。右壁
　　　下有書棹一,室中央有一方棹,皆有抽屜。左壁
　　　下有一沙發。外有椅子數件。

　　　幕啓時,劉景明正彈風琴,上身浸在月光裏。張
　　　克勤倚琴而和。

劉　　(彈琴)

張　　(倚琴而歌)人生忽如寄,

　　　　　　　你請愛呀,處女!

　　　　　　　花的香芳輕吐的時候,

　　　　　　　你的明眸澄美的時候,

　　　　　　　啊,

　　　　　　　你請愛呀,處女!

　　　　　　　(餘音縹緲之中,劉弟啓明由左側門上)

劉弟　二姊總是喜歡月光的,又在月下彈琴了。我
　　　把電燈開了,好嗎?(說話之間,室中已經照得通亮)
　　　哦,張先生幾時來的?

〔114〕

— 132 —

張　　（向劉弟點頭）縱來不久。

劉弟　把你的帽子給我，等我把牠掛起來。（取張帽掛於衣架）

劉　　（回過臉來，倚琴而坐）

張　　（向劉弟）啓明！近來學校的功課怎麼樣了？你來同我坐下談談。

劉弟　（懊惱之狀）唉！你莫說起！說起來真要我的命。（同坐沙發上）我們在學校裏，今天忙的也是試驗，明天忙的也是試驗。你想那麼試驗幾回，就可以決定這一個人讀書讀得好，那一個人讀得不好麼？那全是假的。佔便宜的是那些狡猾的人，他們預先把先生們喜歡出的問題，打聽得十二分清楚，等到試驗的前幾天，把那些地方一看，也照例到講堂上去畫幾張。所以發表出來，總是他們跑在前面。張先生！你想這事情對不對呀？最可惡的是那些教英文的先生們。我喜歡數學，在我們同學裏頭，講數學我是第一個。那些教英文的先生們，偏說數學好也是不行的，非把英文

〔115〕

　　　　弄好不行。最討厭的是那教英文會話的先
　　　　生。人家說他除了幾句不通的英語之外，什
　　　　麼也不懂的，偏偏能夠裝出那樣的神氣來，
　　　　眞是討厭。過幾天就要試驗了。我還一點也
　　　　沒有準備。家裏明天又要開什麼歡迎會，鬧
　　　　得一團糟。讀書的心思，也不知道被他們趕
　　　　到什麼地方去了。再過幾天……

張　　（微笑）你的哥哥纔從外國回來了，難道還不
　　　　該開一個會歡迎歡迎嗎？

劉弟　不是那麼的話。他們鬧得太厲害了，因為再
　　　　過幾天又要舉行大姊的結婚式呢。

張　　是的，你的大姊與王永芳博士的結婚式。

劉弟　張先生，這眞是笑話。世界上眞有這樣的笑
　　　　話。

　　　　　　　（劉姊四歲從左側門上）

劉姊　（見張）啊，密司忒張來了。

張　　（起立）是的，王博士許久沒有見面了，近來
　　　　還好嗎？

劉姊　謝謝，近來還好。（向劉）密司忒張來了，怎麼

〔116〕

茶也沒有叫他們倒來?(向劉弟)啓明,你去叫
他們倒茶來罷。

劉　　啊,眞的!等我自己去來。(下)

劉姊　　(向劉弟)你在這裏同張先生說什麼笑話?

劉弟　　眞是笑話。

張　　沒有什麼話。

劉弟　　就是講你的結婚式的笑話。

劉姊　　有什麼笑話。

劉弟　　這眞是笑話。

劉姊　　小孩子不去念書,在這裏胡說。

劉弟　　你以爲我不知道你們七八年前在輪船上…

劉姊　　(臉紅,隱忍的怒容可見)胡說,你知道什麼東西。

劉弟　　我知道王永芳是一頭狗,不是一個人。

劉姊　　慢慢瞧,我叫爸爸抽你的腿。

劉弟　　哼哼,我與爸爸是不會碰着的。早晨我起來,
他沒有起來,白天我在學校裏,晚上不是別
人請他,就是他請別人吃飯,夜裏他囘來,我
已經睡了。

劉姊　　討厭的!這麼多的閒話。還不給我滾去嗎?

〔117〕

（作欲捻腿狀）

劉弟　（起避）我滾去就是。不過我可以滾去時，我
　　　　隨時也可以滾來的。

（從右側門下）

（劉沛萊點上）

劉姊　討厭的小孩子，這麼小小的年紀，偏有這多
　　　　的話說。（向張）密司忒張，你請多坐一坐。

張　　請不要客氣。

（劉姊從右側門下）

劉　　（遞茶點）克勤，剛纔啟明說過什麼話來？

張　　就是結婚式的話。

劉弟　（從左側門上，目注視右側門）哼！我說我可以滾
　　　　去時，就也可以滾來的。現在還不是又滾了
　　　　來了？

劉　　啟明，你不要總是這般同大姊鬧。

劉弟　我怕她幹什麼？她以為我不知道她同那個
　　　　什麼王博士——那個忘八蛋七八年前在輪
　　　　船上幹的事情。本來誰不知道？倒是她自己
　　　　不知道人家知道罷了。

〔118〕

劉　（失望之狀）哦！

劉弟　（冷靜地繼續着）如今過了七八年，還來舉行什麼結婚式。眞是笑話！不知道是欺人，還是自欺呢?（憤怒）可惡的是那個忘八蛋，偸偸摸摸的把大姊弄到了手裏，就來問我父親要錢，把他也送到西洋留學去，如今公然也撈到一個什麼博士的頭銜回來了，公然大吹特吹，只等北京打電報來請他做總長去。假使那些博士，那些總長，盡是一些這麼樣的東西，我們非把這樣的社會，全然革命不可，不是的，假使我們的社會，能夠默認這樣的一個忘八博士存在社會裏面，我們就非把牠澈底的革命不可！

張　（起握劉弟手）哦，我贊成你的話，好個未來的社會革命者！

劉　哦，說雖是這般說，你不要過於使大姊爲難才好。

劉弟　你以爲她就是個好人嗎?跟着那個忘八蛋，跑了這麼幾年，還要舉行什麼結婚式來——

〔119〕

手掩盡天下的耳目，盡是些偽君子！

劉　　哦，說起怪不好過的。不要再說了，你去念你
　　　的書罷。

劉弟　不高興念書。

劉　　你去逛一忽來罷。

劉弟　我也不高興去逛。

劉　　（憂鬱）今天晚上好像有什麼重大的事情要
　　　發生的樣子。

張　　你不要這樣自尋煩惱，（向劉弟）啓明，你哥哥
　　　到什麼地方了？

劉弟　他到朋友家裏去了，就說囘來的。

劉　　那麼，好弟弟，你去早點睡了罷。

劉弟　（似不願意，但又徐徐往左邊走，下）

劉　　哦，討厭的事情！

張　　（徐往劉側）不要煩惱，這樣的事情多得很呢！

劉　　你不覺得奇怪麼？

張　　不像你那般覺得奇怪。

劉　　（嬉戲之狀）那麼，你也幹得出來嗎？

張　　（微笑）怎麼幹不出來。

〔 120 〕

— 138 —

劉　（驚愕，後退）哦，你也幹得出來嗎？

張　要幹怎麼幹不出來，一個人什麼事情幹不出來？不過我縱要幹，也不是他們這般卑怯的辦法。

劉　那麼，依你要怎樣辦呢？

張　（毅然）我的辦法就是公開，不再舉行什麼結婚式。

劉　哦，你也是一個理想主義者。

張　不是的！我最可惡那些理想主義者。我的意思，不過說假想我們自己不謹慎，像他們那樣幹出來了的時候的話。最好是我們自己謹慎，自己對於自己負責任，也對於人家負責任。

劉　你這話我最贊成，現在的青年對於他自己做的事情，太不負責任了。

張　是的，他們幹出了這樣的事情來，便是他們自己不負責任，純被一時的獸性衝動了的結果。他們也一定沒有什麼愛情，因為若是真有愛情，便不必那般鬼鬼祟祟的怕人言

〔121〕

語,因為愛情是什麼也不怕,死都不怕的。他們因為覺得自己的行為,完全是一時的肉慾,纔覺得自己錯了,沒有面目對人。但錯了的事情,可以以錯補錯的嗎?那不過錯上加錯罷了。

劉　你的話很對。(微笑) 不過像你這樣說起來,你也不像眞有愛情的人了

張　這話怎麼說?

劉　眞有愛情的人,依你說是什麼也不怕的。(嫻莊)你為什麼不把你的意思向我父母提議?

張　(嘆息)哦,我們這樣的男子漢,是不好輕輕向人提議的。人家一口氣答應了,那是沒有話說;人家若是拒絕了,那便是最後的決裂。所以我只願你把你父母的意思探得出來。不知道……

劉　(嘆息)哦,我父母的意思,我想你也大抵是知道的。(悲容)我看不知道應當怎麼辦才好。

張　(安慰)你不要傷心,再等幾時總有法子可想的,我不願你為我悲傷,我只願我能為你的

〔122〕

幸福犧牲一切。我沒有別的癡想,我也不敢
那樣。

劉　哦,我也願爲你犧牲一切。

張　哦,那是決不可以的。我很懷疑我不能使你
　　幸福,我還不知道我應不應當同你說及將
　　來的事。我現在心裏煩悶的,也就是這一點。
　　假如我知道我不應當,那麼把以前的一切
　　都丟了,我也是情願的。(聲慢而顫)

劉　(激昂)克勤,啊,你不能說這樣的話的。以後再
　　不准說這樣的話了,你同我約好?(作要求態)

張　啊,這真不是可以輕易決定的。像我這樣的
　　人,只合孤苦一生罷了。你的愛情,對於我是
　　過分的,過分的幸福。那真是過分的。

劉　(撫慰)啊,你不要說這樣的話,我們慢慢地
　　可以想法子的。

張　是,我們慢慢地想法子罷。

劉　昨天我問過媽媽。她只是搖頭,不⋯⋯

(劉弟手拿一張報紙從左側門上)

劉弟　你們看了今天的報紙嗎?我念給你們聽聽。

〔123〕

（讀報紙朗誦）

　　'劉思明博士之歡迎會，

劉思明博士新從英國留學歸來，已誌昨

報，

劉聞博士之父劉敦廉氏已遍邀戚友，於

二十三號在靜安寺路公館開一歡迎之宴

會，屆時博士將有長篇之講演，必有一番

盛況也。

又訊，劉敦廉氏之長女公子德明博士，已

與王永芳博士訂婚，將於本月底在某教

會舉行結婚式。兩博士在美同學多年，甚

形相得，結婚後將往日本爲蜜月之旅行

云，'

哈哈，我們中國的報紙，盡是些這樣的騙人

的話。我剛纔一看，幾乎把腸子都笑斷了。

劉　　好弟弟，少笑些，仔細大姊捻你的腿呢。（劉母

在內說話之聲）媽媽在那邊說話，你去念你的

書吧！

　　　　（劉弟揩乾口歡，徐徐由左側門下）

〔124〕

（劉母從右側門上）

劉母　（見張）張先生，你近來好嗎？

張　　（起立）多謝，近來很好。你老人家好嗎？

劉母　人倒還好，只是被一些的事情，鬧得天翻地覆了。（向劉）啟明這孩子這幾天來書也不念，剛纔又在這裏鬼混嗎？

劉　　他說你們鬧得他念書不進，是我逼着他去了。

劉母　你看見明天請客的單子嗎？你爸爸回來了，要拿去查一查，看丟了什麼人沒有呢。（查各抽屜）

劉　　（目視張，復向母）媽媽！（低頭）

劉母　（抬頭）什麼事？（復埋頭查看）

劉　　（臉微紅）……媽媽！

劉母　（急抬頭）什麼事？

劉　　（低着頭 合掌顫下）……媽媽，昨……昨天我問你的話，你怎樣……怎樣答我？

劉母　（思索）……什麼話？

劉　　（雙手擱劉母肩上，頭鑽入劉母懷中）媽媽，你不要

〔125〕

故意裝不知道的。

劉母　還是三歲的小孩子一樣的。張先生看見了
　　　笑話。啊,我知道了。還話問你爸爸和你哥哥
　　　罷。(推劉)還不起來?這樣的丫頭,不知道誰
　　　要你哩。(闔上抽屜)

劉　(起立)(撒嬌)討厭的媽。

劉母　(煩燥)這叫人到那裏去找呢?(向張)張先生請
　　　坐罷。(從右側門下)

劉　(顧張)啊,我眞不知道應當怎麼辦機好。

張　啊,你不要這般煩燥。

劉　(苦悶狀)啊……

張　過幾天開過歡迎會之後,我同你哥哥談談
　　　再說。

劉　我哥哥也未見得就不反對呢。

張　我想他總容易通過。

劉　(搖頭)你不知道。(室內有男人言語,隨後有踱步聲)

劉父　(尚在室內)我自己來找一找,看他飛去了不
　　　成。(從右側門上)(劉父為一五十前後的人,有髯,頭髮
　　　剪得極短,雜以白髮。目光銳利,頰肉豐富而粗硬。臉色

〔126〕

　　　　　　淺人，腳步沉重）目視張，往棹旁行去）克勤，工廠
　　　　　　的事情，近來還好嗎?(查看各抽屜)

張　　(起立)不過是天天去做幾點鐘的事情罷了。
　　　　也因為經濟困難，什麼大一點的計畫都不
　　　　能行。

劉父　不論什麼事情，沒有錢總不行的。

張　　……是……

劉父　(尋着單子)不是在這裏嗎?放在這裏的東西，
　　　　尋了半天，還尋不着。(從右便門下)

劉　　(夢一般的)左也是錢，右也是錢，嘴裏說的是
　　　　錢，心裏想的也是錢。

張　　(輕擊劉肩，微笑)　現在的人誰又不是這樣呢?
　　　　有了錢便爵位也可以買，名譽也可以買，愛
　　　　情都可以買呢!

劉　　啊，這醜惡的社會!

張　　(挽劉坐下)不要這樣悲觀，我們總有法子想
　　　　的。(坐下)你到外國去留學的事情，到底怎麼
　　　　辦呢?

劉　　大姊主張我往美國，哥哥主張我往歐洲，我

〔127〕

真不知道到底往那一國的好。

張　　我還是贊成你往歐洲去。因為到美國去求
　　　學,縱多只能學到他的拜金主義罷了。若想
　　　求到一點精神上的知識,那是辦不到的,并
　　　且你既喜歡美術與音樂,那麼,你應當到德
　　　國,法國,意大利去,簡直不成問題。

劉　　我也是這般想。只有大姊反對最厲害,她是
　　　我父親的孝女,她同我父親一樣的意見,她
　　　說:"現在人家都到美國去。"

張　　他們都是去學拜金主義的。你直截地回覆
　　　你大姊,說你不高興跑到外國去學拜金主
　　　義就是呀。

劉　　她勸我到美國去,還有一個理由啊。

張　　啊,還有別的理由,那我真不知道。

劉　　她說是一個更重要的理由啊。

張　　更重要的。哼。

劉　　(遲疑)她說有錢的人家的子弟,現在都到美
　　　國去讀書,所以她勸我去結識一個,將來好
　　　……啊(掩面)……

〔128〕

張　　啊……

劉　　(抬頭)她還說將來我們中國,不論那一方面,
　　　美國留學生總要占最大的勢力的。

張　　啊,拜金主義的勢力,現在巳經不很小了。

劉　　我總反對拜金主義。

張　　那是因為你是一個美術家,

劉　　我想只要是一個人 , 便應當反對這種主義
　　　的。

張　　(微笑)我問你,你還是研究音樂呢?還是研究
　　　繪畫呢?

劉　　到德國去研究音樂,我早就決定了的,啊,哥
　　　哥囘來了。

　　　　　　(劉兄從外歸來,匆匆上)

劉兄　(見張)啊,密司試張!幾時來的?(握手)

張　　(起立握手)八點多鐘來的,

劉　　(起爲兄將衣帽安置)

劉兄　(於桌旁坐下)(向劉笑語) 你們剛纔好像在高談
　　　雄辯,到底談論些什麼?我也得加入啊。

劉　　就是講我留學的事情。

〔 129 〕

劉兄　(向張)密司忒張！你替景明想，往那一國好呢？

張　　假使我替令妹想，還是往歐洲大陸的好罷。

劉兄　(拍掌)那麼，我又多得了一票。(作忽然憶出之狀)啊，密司忒張！你今晚來，不是要討你的回信？

張　　(微有驚色)……是的……

劉兄　關於這件事情，密司忒張！我們是老同學，用不着客氣，我家父無論如何是不會許可的。老實說，我為景明的將來的幸福起見，也不能輕易贊成她和你結婚。

劉　　(失望之色)

張　　(失望，惟故持鎮靜)做父兄的不許可，那自然無話可說，不過不知道你能把不許可的理由，也使我知道嗎？

劉兄　家父的意思，不用說是因為我們的境況相差太遠。就是我自己也覺得自己的妹子，總得嫁一個境況好一點的男人，纔對於她的將來，可以把心放下。我也極希望她嫁給──

〔130〕

個留學生呢。

張　啊，原來這樣！這樣說來，簡直一點資格也沒
有了。本來我自己還沒有達到向令妹求婚
的決心，昨天不知道怎樣同她談到這地方
了。其實我自己很疑我不應當說到這地方
去，很疑我自己沒有資格呢。不過我的所謂
沒有資格，是關於我自己一個人的，與家產
境況，毫不相干。若講到我境況不好，沒有到
外國去留過學，那不是我的不好，（激憤）那不
過是因為我的父親沒有做強盜打刼，沒有
禍國殃民罷！假使我的父親也做強盜打刼，
也禍國殃民，那怕我這時候，不也是一個貴
公子，不也是一個外國囘來的博士嗎？啊，
這也要算是我的罪過嗎？

劉兄　密司忒張！你不要這樣與奮。這樣的話，不
是可以隨隨便便說着玩的。依你說起來，我
們到外國留過學的人，我們的父親，一定都
是些做強盜打刼，禍國殃民的人了。假如人
家要你拿證據出來，你怎麼辦！

〔131〕

張　　豈不是拿些證據給他們，就殺了嗎？這算什麼難事？

劉兄　（稍帶怒容）那麼，我就請你把我的父親做強盜打刼，禍國殃民的證據給我。

張　　（冷然）不要假裝不知道，十年前的那幾次賣國借款，那幾次的革命戰爭，那一次你的父親沒有在裏面殃民禍國？你的父親做官發財，那一回不是由禍國殃民得來的？你以爲他還有什麼別的本領？其餘他做厘金局長，關監眞，鹽運使等等的時候，無形中做強盜打刼，眞不知把無辜的良民害死了多少！凡有耳目的人，誰不知道，你自己不知道人家知道罷了。

劉兄　（驚愕，悲哀）密司忒張！阿，眞有這樣的事情嗎？

張　　誰還來騙你？我張克勤從來不說半句慌話的。

劉兄　（悲極）阿，眞有這樣的事！聽你這樣講起來，我倒也不是一點都不知道的，（以雙手撫首接

〔132〕

— 150 —

髮,高聲)啊,眞有這樣的事!眞有這樣的事!

劉　　(始而驚,繼而悲)啊,眞有這樣的事!

劉兄　(俯首棹上,悲痛,搔首)啊,啊啊,啊……

　　　　　(劉父手持客單急由左側門上,劉母隨後)

劉父　(瞪劉兄狀)你這是幹什麼事?

劉兄　(抬頭,見父,大聲)我先問你,你幹下什麼事了?

　　　　　(劉母驚往後退,劉走依張)

劉父　(驚愕,大怒)你怎……怎麼了?你瘋了?

劉母　(駄往劉兄側)不要這樣高聲大叫。

劉兄　(直視劉父)我今天纔把我自己所處的地盤認
　　　明白了。我今天總把你的眞像也看清楚了。
　　　我以前枉自在我面前畫了無窮的夢想,我
　　　現在纔好像從夢裏醒博來一樣明白了。…
　　　…你把我養大,送我讀了這多年的書,我感
　　　激你;只是你不應該做強盜打劫,禍國殃民
　　　來把我養大,來送我讀書。我此刻覺得我的
　　　全身,我的靈魂,都充滿了你的罪惡,都被你
　　　的罪惡汚壞了。啊,我情願沒有學問,我情願
　　　什麼也沒有!

〔133〕

劉父　（怒）你這話從那裏來的？我幾時做強盜打劫來？我幾時禍國殃民來？

（劉姊從右，劉弟從左齊上）

劉兄　你不必問我，你自己問你的良心罷！

劉父　（切齒不能言）

劉兄　你把我養育在一個罪惡的污溝裏，啊，這是多麼悲慘的運命！我情願沒有學問，我情願什麼也沒有！……我所有的一切，我的全部的身體，都是做強盜打劫的結果，都是禍國殃民的結果！……我在享受這不盡的罪惡的結果！……啊，在罪惡的污溝裏所吸收的污泥，我不知道要到幾時纔能把牠吐個乾淨。……我非把我所吸收的污泥一口一口的吐出來不可，非把牠從我全身的纖維中絞出來不可，縱使把我的心肝吐出來，把我的生命絞出來，我也衷心甘願！啊，我還是活在這個罪惡的污溝裏！啊，我要永遠離開這個罪惡的污溝！（離椅，跟蹌將去）

劉母　（奉住劉兄）啊，你想把父母兄弟丟了到什麼

〔134〕

地方去？

劉兄　(冷然)你們能夠把罪惡當茶飯吃，我不能呀！
　　　我們此後各人把自己的污泥吐出來罷！我
　　　現在要去把我自己的吐出來了！(拂衣竟去)
　　　啊，誰來同我去？(從右側門下)

劉張　(齊聲)我們同你去呀！(追去)(下)

劉弟　(急追)我也同你去呀！

劉兄　(在室內)誰同我去呀？

劉張　(在室內)我們同你去！

劉弟　(下)我也同你去！

　　　　(劉父瞪目直視，劉母失神，劉姊驚愕)

　　　　(室內閉門之聲)

劉父　啊，奇事！啊，奇事！(手撫客單)啊，明天的歡迎
　　　會！

　　　　　　　(幕)

〔135〕

東　京

　　自從九月一號的東京的大地震喧傳以來，差不多大小各報紙每天登的都是關於這次天災的消息。我每天格外提早起床，忽忽洗漱之後，便背着手獨在斗室中圍着一隻圓棹徐行，等待那天的報紙到來飽我的眼福。有時候我的聽官故意揶揄我，捏出一些似乎像叫報的聲音，騙我到後門去張望；等我到那裏去傾聽時，却又聽不出什麼來，只有上海各衖堂裏特有的刷馬桶的永遠的聲響，帶着一般鼻官所不歡迎的氣味齊來，每把我最後的知覺全

〔137〕

窒息了。這時候我每每憤恨地關了門進來，心裏埋怨送報來的人不和我一般早起，直到'申報！新聞報！'的叫聲由遠而近，漸次響亮起來，我纔把滿腹的不平按下，急去收受我所特定的報紙。

眞的，新聞紙上滿紙的大大小小的黑棒舞得太好看了，我由牠們的舞蹈，不由得也要被牠們拉到了我所不高興再去了的烟霧沖天的東京去。地震的次數，火災的蔓延，最後那死傷的人數！今天十萬，明天二十萬；這裏十萬，那裏二十萬，假使我的加法不錯，約莫早有一千多萬了。號稱五千萬，實際只有男的千五百萬，女的二千萬的我們的東鄰，假使死傷了一千萬，那眞應當死亡枕藉了。我爲這種壯觀所壓服，只覺尋不出適當的文字來讚美，

我是前年春天從東京回來的，我自恨沒有再等兩年，致把千載一時的一個機會坐失了。我羨慕那些遭難的人 因爲死神對於他們特別慈愛，沒有使不必要的死之恐怖與痛苦來惱他們，便讓他們進國門去了；而且他們之中的政治家，永遠解放了政爭中的患得患失之心；資本家永遠解放了打

〔 138 〕

算盤的手指與吸血的刺；勞動者永遠解放了不平
的憤恨；大學者也永遠解放了浮士德博士一樣的
心焦；文學家更永遠由衆愚的冷遇和無聊的文人
們的嫉妬與讒諂解放了——這些都是他們所切要
的，死神運用他的全神，舉爲他們包辦了。

　　小小的地震在日本是與三餐茶飯一樣尋常，
每月總有好幾次。地震的時候，我們一方面雖然對
於我們的乘舟的作怪，微抱一種不安的心情，然而
他方面那種醉人的盪搖，是具有醇酒以上的力量
的。我每竊喜可以省幾個買酒錢而忘懷一切去樂
享這種神奇的陶醉。眞的，這是一種神秘的境地。那
時候，便是不會飲酒的俗人，身心不潔的塵物，便是
怎樣不可救藥了的人，也不由得要感到一種平常
或素來所不曾嘗過的快感。而且這種快感不是誰
一個人獨有的，如用現在的時髦文學家所最喜歡
用的文字說出來，那便是「民衆的」。那時候，不僅自
己恍惚翱翔於一個神奇的秘境，而且由半開的醉
眼中，我們可以看見我們的鄰人也在沉沉痛醉，不
僅如此，我們直可以看見一切有形的東西都蹣跚

〔 139 〕

着很熱心地在合奏一種雄渾的音樂。眞的,那種魅人的情景,不是我們醒後所能描出萬一的。

火災又是日本特有的一宗出產,專就東京而論,每天至少也得有好幾處地方。這又是一種極壯麗的光景 ,我們只要想起怎樣火焰一烘而燒完數十百家的紙壁與薄板,怎樣這些紙壁與薄板一吹吹到空中,化爲一隊隊的火球,學羣鴉或羣星的飛舞,或則怎樣那些草蓆始而鬱鬱騰烟,樹無數的黑柱,繼而光輝煥發,照徹雲霄,終乃散爲流星 ,乘風直搗他人的巢穴,轉瞬之間,又闢一塊赤化的新土——我們只要把這樣的光景想像一番,便可以知道東京的火災是怎樣富有詩意。我還記得十年前到東京不久,住在中國靑年會的時候,有一天晚上,火神在我們後面不遠的一家旅館得了手,轉瞬之間,就拔了黑幟,易了赤幟。我所住的是三層樓由後數第二的房間,後部是一座露臺,底下便是餐室。我從高處俯視火神一步步佔了優勢 ,他那輕巧的身軀,我至今不知道怎樣便緣上了我們的餐室。我見他用輕軟的紅舌頭,一路舐着餐室的木板,輕輕跑

〔140〕

到了我的前面。在這不短的期間，我是始終完全為
他所懾服了——為他的輕巧與為他的美麗，那時
候一個朋友拔出了一根水管，不管三七二十一的
直對了火神的頭臉淋下。當時我是怎樣想阻住那
個朋友，或則對着他的臉吐一口憤恨的痰去，當
我看見火神的紅的臉淋得不斷地向兩邊躲避的時
候。然而沒有等我做出這種事來，水龍的使者早惡
狠狠地把火神推了下去。我親眼見了這種幻影消
滅的悲哀，便再也無心在家裏久留，一溜烟跑了出
去。然而等我走出前門一望，我的面前纔又是一片
烽火，原來這邊得到了那邊的一個火球，早已響應
了。在這邊火神比較得意，他殺得高興起來，便赤着
膊放出萬丈的霞光來，只一抹把這一帶的人家全
都抹倒了。第二天火神歸去了之後，我去踏查戰後
的形勢時，我在一望茫茫的瓦礫之中，幾乎把路途
都迷失了，這是我自己遇見的一回火災，其餘我從
遠處望見或在報紙中見過詳細記事的確是不少，
他們的情狀與結果雖或微有不同，總而言之，他們
的烘烘烈烈的燃燒與詩歌般的情調，是我所不能

〔141〕

描寫然而決不能忘記的。

　　我可以這樣說：假使我喜歡日本，那是因為我喜歡她的地震與火災。我的一個朋友說他喜歡日本是因為他喜歡日本的女人，喜歡她們易於到手與喜歡她們身體的肥胖。關於女人我是外行，我是什麼也不能說，然而就只提起地震與火災，已經可以叫我聽到這次的天災而惆悵了。

　　這次的天災是大地震與大火災的合唱。我僅由報紙的傳聞，已經覺得有點醉意了。至於我們的窮塞的政府居然像孤注一擲似的，把最後的一個銅板也拿了出來充賑；與我們各界的名人一個個手持人道主義的旗幟，也一沐三握髮，一食三吐哺，忙着籌荒，他們的目的究在那兒，雖非我這種愚昧的頭腦所能想到，然而他們的努力與大阪傳來的新聞，對於我好像含有同量的酒精分，却是我所不能不感謝的。而且這些酒精分合作的結果，我愈覺得精神恍惚；如置身火焰齊天的東京市中了。

　　地震時的光景如像在眼前。我們的不忠實的船兒，忽然作怪起來了。搖盪，傾斜，覆滅，驚愕的叫

〔 142 〕

喊,這是何等醉人心魄的活動影戲！狂奔,脫險,呆
立,號哭,這又是何等灌人沉醉的情景！ 我如適逢
其盛,我定蹣跚而奔,教男人用白布纏頭,提起木鞋
飛跑,教女人捲起長袍,莲着腿兒亂竄。於是我將自
造一種解釋,當他們在酣醉而輕歌妙舞;看花時節
的猖狂,常能助我證明我的觀察之不誤。

　這時候,火災已經突起一方,漸次指東京的腹
中亂刺,驕慢的人類的子孫常更赤着眼睛而狂亂
起來了。我好像親見一些被火神舐喪了胆的人們,
或在負着笨重的草蓆而亂鑽 ,或在裹着鋼鐵甲板
Steel armour plate 一般的綿波而狂湧, 人類在忙
亂的時候,每顛倒輕重,只顧把不要緊的東西救出
來,倒把重要的家財丟了。然而這時候如果有人點
醒他們的錯誤,我定要吐他滿臉的痰,或則到上海
來請一個會吐痰的人去為我施行這種懲罰。眞的,
假如在火災的當中,有人携着貴重的財貨飛跑,他
必是一個惡徒,一個乘機盜竊的強盜,我們應當擊
殺他,反之,那些正直的人,不怕他所携出來的只是
一隻敝屣,是值得稱讚。我如在火災中遇見一個這

〔 143 〕

樣的人——這樣的人是不多見的，是千萬人中一見的——我定要稱讚他的曠達，定要爲他搬着敝屣，同對此景盡醉而歡躍。

東京這回的天災眞給了我不少的陶醉的享樂，然而東京對於我殊不能便止於是，我與他的關係太深了。眞的，我在東京至少住了七八年，統觀我留學的全時期，只高等學堂的三年是在南方一個小都市過了的。除了我的少小長離的故鄉之外，我住了如此久的地方，算只有東京了。固然，我少年時代最快活的時期是在高等學校時代過的，那時候我還只十八九歲，那南方的小都市的氣候旣好，大學又如在我們的目前，不斷地在激發我們的知識慾，而一種少年時代所特有的自負與驕矜又無時不在使我們自滿，那時候我的心目中眞只有春朝的讙歡與生之陶罕了。然而歡樂如彼雪花，一去不返；人生一世中，比較起來，還只有悲哀肯在我們心中留住。我囘到東京入了大學後，雖也沒有什麼可哀的事情來擾我，然自那年初次囘國，便深深感到

〔144〕

— 162 —

幻影消滅的悲哀，我去國時年小，不曾知道中國的事情，自那年回來，我總猛然覺得自己是怎樣的國家的國民了。素來瞧不起日本人的我，自從那次回國一遊以來，不禁羞愧與憤恨齊生，終於暫時我在悲哀的荒原徬徨了。在這時期內，除了學校的教室與實驗室之外，我的足跡最繁的地方，是東京市外的幾處原林與市內的幾個圖書館。所以這次的天災傳來，我便不由得想起了這幾處地方，同時我當時把我的多少悲哀寄下來了的林木與書堆，突然在我心中顯現，而我那些寄下來了的悲哀，似乎因爲失了寄身之處，便又飄然歸來了。世上沒有可以寫得出來的悲哀，縱然寫出，然在他人眼底，也不過供人下飯的滑稽，所以請恕我略去不寫。

有人聽了東京的天災便想起了他在東京時愛過的婦女。我不曾愛過什麼女人，然而這囘女人死的一定不少，却也不免使人覺得可惜。而且混亂之中，多少美麗的‘弱者’爲難一般淫的男人所毀壞了，尤足使人憤恨。不過她們至少可以與那些窮無所歸的女人去以皮肉維持生活，或竟組成娘子軍，

〔145〕

遠去他鄉，為侵略主義的先鋒隊。這倒是對於我們的東鄰極可欣賀的事。

　資平的一篇小說裏面有一位章君，是一個極痛快的朋友。他只要說上兩句話，必有幾個'痛快'在裏頭。我不知道同他痛快地飲過多少回酒，他每酒酣耳熱，必更痛快地高呼'痛快'起來，他不僅對於酒很痛快，我囘國之後，聽說他對於女人也很痛快。這次天災之後，在我的朋友之中，我第一個想起這位朋友。我不知他現在是死了還是活着。怎麼也打聽不出他的消息來，心中很不痛快。如果他痛痛快快地死了，我想資平或者能夠痛痛快快地做篇紀念他的痛快的小說。

　約莫一旬之間，我每天只是這樣開着眼時做夢而遐想。然而好事多魔，不出十天的工夫，報紙上的電文漸次有些不對了。從前一個地方死傷了十萬的，漸次七萬五萬的減了下來，還不知要減到那裏。我見我眼前的對象，有如曉日之前的朝霧一般，漸漸淡薄下來了，我於是急忙停止了看報的一番

〔 146 〕

工作。

後來一個朋友從東京囘來了，我纔知道了是怎樣的一個內容。我於是想起了地震中的內閣會議一定有以下的三項議決案：(1)盡力宣傳，(2)乘機屠殺韓人，(3)殺盡社會主義者。朋友說東京的改造計畫前幾年早已完備，只差一筆拆毀的費用，這回地球——我們的母親振臂爲她的幸運兒代辦了。我於是想起了地震中日本政府是怎樣開顏大笑。

我於是想起了日本的礮艦怎樣在長沙上陸而猖狂，我於是想起了台灣人怎樣在廈門肆行無忌，最後我想起了一些慈善大家，怎樣在爲日災籌賑。我眞十分佩服我們同胞的大國民氣槪，我眞十二分佩服我們的慈善大家；我所敬愛的我們的慈善大家喲！像你們這樣拋頭露面，還怕不聲譽遠聞？

然而我依然能夠想起地震盪搖而微醉，我依然能夠想起火災的壯麗而神馳，因爲幸好我趁早丟下新聞沒有看了。而且我相信地震的樂譜與火災的影像，已經刻上了我的深心，我是隨時可以使

〔147〕

牠們再現出來的。

十，十

太 湖 紀 遊

'僅僅幾分鐘的工夫，就能使我們由酲醲的
都市逃出，投到純樸的大自然的懷裏來，我們是不
能不感謝發明蒸汽機關的人，我們是不能不感謝
Watt。'

我心裏這樣想着，我的雙眼不住地在一望無
涯的平原之中狂馳。遠方的樹木在同我們賽跑，近
處的田疇在爲我們後退；大地好像分做了兩半邊
在我們的兩邊旋轉：左邊的與鐘錶的雙針同一方
向，右邊的却恰恰相反。我把全身靠在車上月台的

〔 149 〕

後壁（因爲我們始終不曾得着一個坐位，直到我們的目的地點），眼睛跟着電線的 Catenary 在玻璃窗上波動：有時電線低到與我們齊肩，有時直湧出車窗以上。無盡藏的電柱一根根把我們一瞥便過去了。

無錫的梅園與太湖的風景，去年此節便有友人 V 君與 K 君約過我去遊玩。那時候，一因不得閒暇，二因遊興不佳，終於不曾實現。這回又是兩君來信勸誘，愛牟首先心動，他好像打算一件重大的事情一般，用了迴想的神氣說道：

'明天是禮拜六，還有大學的籌備會議要去來；後天恰是禮拜日，他們正可以引導我們去探訪。後天我們早點起來，乘早班火車去，我們可以玩一天整的。第二天他們有功課我們可以自己去遊玩。'

N 也是無可無不可，於是我們便決定了採用愛牟的計畫。'

我從長沙來到上海，不覺已經一年有半，我常常對江浙的朋友們訴我這一年餘還不曾感到江南的情調，他們之中有些說：這是因爲我總是一個南

〔150〕

— 168 —

方人；然而大多數都責我不應長在上海不去遊玩。我知道他們的話很有道理，不過杭州與蘇州我曾去過，結果是使我失望了，我更不知尚有何處可去，我也不曾有過許多的餘閒。

我常常這般想：我們如果要領略江南的情調，我們不應當向俗人麕集的地方去尋，我們反應當向時人罕識的赤裸裸的大自然中去欣賞。因為審美觀念尚未發達的一般的中國人，當他們破壞一切美的事物的時候，他們實比惡魔還要兇狠。

無錫是一個小小縣治，太湖尤是強盜出沒之所。他們或能使我感到江南的情調。我這樣想，所以愛牟提議坐三等車的時候，我還笑說坐四等車都不要緊。

昨晚有人請我們吃飯，愛牟高興起來，便拉着大家飲了不少的酒。結果是他嗑得大醉了。我讓他回來睡下之後，因為還有一點事故，便又坐了電車往上海的中央部來，但我也飲了不少的酒，不知不覺之間，我在電車上睡着了。等我醒過來，我巳坐過了約莫有兩倍多的路，

〔 151 〕

今早我從醉夢中醒來。從衣袋裏抽出錶來看時，已經是七點了！不僅早班已過，七點半的第二班車也已來不及了。我急忙穿了衣服來看愛牟時，他兀自酣睡未醒！

我們幸而趕上第三班快車了。雖然沒有得着坐位，然而一到這久闊的另一世界之中，我們便什麼苦痛都忘記了。

現在在我們面前展開着的是一片一望茫茫的曠野。我們遠望渾濁的層雲，我們近看澄清的流水，我們看遠樹，看近村，看阡陌上的行人來往。

在這爽人神魄的慈惠自然之中，有使我們看了不快的，那便是在田畝中散着的棺材與高塚。這是人爲的破壞之一例。我覺得好像有喚人復歸現實的呼聲在響，又覺得好像在葛雷的‘墓畔哀歌’的世界，大地頓如一片荒墳在眼中高高湧起。我把帶來的季刊二卷二號中愛牟所譯的這首名詩繙出來低吟了幾遍，心中不覺起了一陣不可遏的悲響。

到處只是一樣的樹木，一樣的人家與一樣的田畝，上海到無錫的旅程毋寧說是單調已極。在這

〔 152 〕

樣的單調之中,多少可以給人一點新的刺激的,只是崑山天平山與蘇州的城廓。然而以這點新的刺激來破這極端的單調,未免太微弱了,我們終於在這種單調之中到了無錫。

Y君與K君在出月台的地方引領觀望,我們在人叢之中掙扎着,相望而點首。他們顯然是很愉快;他們是從九點鐘以來釘在這裏。

無錫是這樣大的一個都市,這事情便先使我嚇住了。惠泉山形似長沙的岳麓山尤使我驚喜。我們在一個館子裏吃了一點便飯之後,便雇車直赴惠山。

我把惠泉與岳麓並提,不過是就山的外形說。若就山的外觀與內容說,到底不能同日而語。岳麓前臨湘江,湘江不是運河所可比擬;岳麓有葱蔚的樹林,有深幽的禪院,有醉人的鐘聲,有滴滴的泉水——這些都是惠泉所無的。岳麓雖與長沙城只隔着湘江,然而湘江既甚廣闊,中間尚有一洲(即古長沙,今已成爲陸地,有居民不少),我們從長沙

〔 153 〕

望此洲,已經好像是海中的仙島,我們更由此洲望岳麓,那便直是另外的一個世界。我在長沙年餘,終日不是由長沙城遠望岳麓寄我的遐想,便是遙趨岳麓,避城市的喧囂。在死城一般的長沙,我能在死屍的堆中住至一年以上,實是因爲有了岳麓。

我在長沙一年餘的生活電影似的顯出在我的眼膜,多少事使我悲酸,又多少事使我苦笑不已!成敗是什麼?榮辱又是什麼?只要是此心所安,那便是天國的實現。淺薄無聊的世人喲!不可救藥的聾盲喲!……當我這般熱狂起來,我們已經到了惠山的腳下。

我們在寄暢園與淮軍昭忠祠走了一轉,看了所謂天下第二泉之後,便直取向楳園的路走去。這條路說是楳園的主人榮某所修的,路的兩旁差不多盡是一樣高的桑樹。間有勤勞的農夫在田中一根一根的丁寧處理。我常在路的兩邊行,便有媚人的小枝時常把我的衣袖牽住。我幻想到採桑的時節應常是如何明媚的一片風景。美妙的年輕的姑娘,豔陽的天氣,含烟吐翠的桑園,欲絕還飛的低

〔 154 〕

唱。我想大抵要這樣纔是真的江南的情景。

同是一樣的行路，然而一個哲學家可以沒入玄妙的思想，一個科學家可以感受自然的啓示，一個詩人可以翺翔於美妙的詩境，一個社會學者可以聚神於生活的觀察。我既不是這些人中之這一種人，也不能說是那一種。在上海禁錮了年餘以來，我的心情已經失了從舊時的微妙的感受性了。三年前與愛布同遊西湖時，我重見了故國的好山好水，便想起了不少的童時的情景；我恍惚童時有過一雙健強的羽翼。然而三年後的現在的我，只覺童時的我已如幻想中的安琪兒一般，已經邈不可卽；便是三年前的我，也好像從我手裏放去了的一隻鳥兒，只是望着那邊沒有邊際的天空在飛，已經無法可以呼喚轉來了！

在我的心眼之中尚能隱約查看出來的，只是年餘以前的長沙的情景。我們繞着惠山行動時，多少有點相像的岳麓山便也徐徐在我眼中旋轉。今天因爲是禮拜日，有許多年青的學生成羣結隊而來，他們是看花回來了，他們的笑語飛揚在乳濁的

〔 155 〕

惱人的低空，他們的紅顏照耀在晶明的柔和的桑樹。他們的質樸的服裝是何等輕快而皎潔，他們的青春的四肢是何等柔軟而活潑！我注視着他們的豐實的神氣與他們的澄明的眼睛，不禁要流出感激的眼淚來了。

帶路的Y君與K君忽然把我們帶上了大路右邊的一條小徑，我們現在是對準山塞在前進了。去年夏天我們極想移到鄉下來住，兩君寫信來說有一個風景極佳的房子，只是我們終於不曾來過。現在我們是要往這個地方。

路旁有一個私立的小學，雖然狹小，却很精潔。小徑從這裏右轉。一池碧玉般的靜水首先牽住了我們的視線。接着便是左右兩條雪白的小橋，與對岸的一個兩層的潔白的亭子。稍遠處便是一棟矮而明潔的紅漆的小屋。我們加了速度，看看左面的池水，又左右看看路旁的梅花，高興得什麼似的前進。有時梅花的香氣飛來，我們也不禁為牠暫時停止，橋旁的柳樹下有三五個小兒在喧叫。我們輕輕地走上橋來，似乎把他們嚇了一跳。小屋共三間，還

〔156〕

沒有人住。我們從階下回頭望遠,隱隱有連山在那邊的天際橫臥着。亭子建在屋前的假山上,中有長椅,可以坐看這自然清邈的小天地。屋右的林中時有蕭蕭的風聲在響。我們大家傾耳而聽,大地頓如沉入了靜默的深淵,只聞風聲在大空之中消漲,世界在靜默之中推移,我們好像超然物外,獨立着在的樣子。

　　理智命令我們離開了此處,也不管我們是怎樣依依不捨。回到大路上來時,我們還是偷偷地頻頻回首,我們口裏不斷地說要移來,雖然心裏明明知道世事鮮如人意,明朝的事誰也不能斷定在先。

　　因爲怕我的痛脚不好多走,大家改坐了車。歸來的遊客漸漸增多,他們顯然是已經在趕他們的歸路。歡樂使他們忘了一日的疲勞,他們的笑語歡呼,依然在低空之中跳躍。楳園的楳花在低垣上靜悄悄地探望。門前的車夫在向門內張羅着等候遊人歸去。我們因爲要先往太湖,便飛一般的過去了。牆內有尖銳的笑聲飛揚,春遊的歡愉的情緒頓漲。

　　翻過一座小山,前面已經有了一片澄明的淸

〔 157 〕

水。

'這是五里湖。'K 君回過頭來說,他的眼鏡上有湖光在輝閃。

湖水好像在繞着幾個遠島右旋: 不多遠的路,便轉到了我們的腳底。我們棄車直下水濱,恰巧有雙小船在等着。

我們曾從車上望見有幾片孤帆在遠處的水天之間傾欹,但是湖邊的水却很平靜。湖中的鼈頭渚在招引我們,猶如神怪小說中的仙島。當我們離開湖邊的時候 , 我們覺得好像是能夠離開了這現在的世界,向着一個新的可驚異的世界在走; 我們被一種不知從何而來的希望縈繞着 , 舟子的櫓聲是異常輕快而果敢。

轉瞬之間 , 我們已經發見了自己完全在一個水的世界 , 我們剛纔所離開的岸與岸上的湖神廟已經遠隔着浮在那邊,我們是在水天之間徙倚。我環顧湖山,日本瀨戶內海的風景無端又顯出在我的前面。那是七八年前的事。在一個春假中,我與愛牟曾在這明湖一般的內海暢遊過一次。 那明媚的

〔 158 〕

風光，至今還不時來入我的清夢。只是鮮明的程度一年不如一年了。我竭力想捕住當年的情景，然而在我眼中顯出的，只是一些模模糊糊的幻象。清風徐來，把我眼中的幻象也吹得像湖水一樣激盪不寧，却使我想起了歌德的『湖上 Auf dem See'

Und frische Nahrung, neues Blut,

Saug' ich aus freier Welt;

Wie ist Natnr so hold uud gut,

Die mich am Busen haelt）

Die welle wieget unsern Kahn

Im Rudertakt hinauf,

Und Berge, wolkig himmelan；

Begegnen unserm Lauf.

Aug', mein Aug', was sinkst du nieder？

Goldne Traeume, Kommt ihr wieder？

Weg, du Trauml so gold du bist；

Hier auch Lieb' und Leben ist.

〔 159 〕

新的營養,新的血濤,

我由大空之中吮吸;

自然是怎樣惠好,

這擁我於懷的!

微波邊掩我們的小船

常與櫂聲相和,

連山潛入雲間,

遙遙在迎你我。

眼喲,我的眼喲,你為何下垂?

黃金般的好夢,於今再回?

去罷,夢喲!你雖則美如黃金;

這裏也有愛情,也有生命。

　　我默念到這裏時。怎麼也不能再念下去。歌德
真是太幸福了。他雖是辭別了心愛的人而來,然而
他的澄明的心境常能從大自然中發現新的愛情與
新的生命。 到處飄流的我却只能在朝霧一般消殘
了的夢境中搜尋我的營養。愛情與生命是給 Tan-
talus 的兩種最慘酷的刑罰,

〔 160 〕

隱變一來，我眼前的世界忽然杳無痕跡了。一片茫漠的'虛無'逼近我來，我如一隻小鳥在昏暗之中升沉，又如一片孤帆在荒海之上漂泊。一種突發的震動把我驚醒時，多謝舟子們，他們把我由荒海之上救到礧頭渚了。

我們一個個奮勇先登，好像戰勝了的驕兵爭先佔領城地一樣。我們已從渚上面對着汪汪的太湖了。Y君搶着到水邊的岩石上去聽潮聲，但是今天的太湖好像正在酣眠，只不住地在把層岩輕舐。

我遙瞰着太湖，徐徐吞吐新鮮的呼吸；覺得神清氣爽，好像可以振翼飛去。這時候夕陽已將下山，好像一個將溺的人紅着臉獨在雲海之中奮鬪。東邊的連山映在夕照中，顯出了他們的色彩的變化之豐富。N是一個畫家，便從衣袋中抽出一個小簿子來臨寫。我們一齊抬頭仰看Apollo的車騎在雲海之中勤搖；金鞭指處，一片燦爛的金光射來，暫時輝耀不已。

渚的高處有亭，亭的那邊尚有一座花神廟。我們忽忽跑過一遍時，渚下的舟子已經在招我們歸

〔 161 〕

去。我們同夕陽一步步往下行來，我們下得船來時，夕陽也已經沉下去了。

連山與我們之間，漸漸垂下了一重重的簾幕；山窪島上忽忽吐出了一片片的青煙。天空越發低下來了。

我們在沉默之中登了岸，又入岸上的古項王廟看了一回；廟中的人已經在吃晚飯，我們便忽忽出來了。車夫好像已經等得不耐，見我們出來，便一個個活躍起來了。

我們在昏冥之中，還從車上不住回頭遠望。我們自恨沒有更多的時間，我們同太湖誠懇地約了再會。太湖啊，永遠的太湖啊！我們雖是乍見便要分離，我們是永遠不能忘你！

過楳園時，門前已經沒有人影，我們入園約略跑了一遍，人為的風景總覺引不起我們的興趣來。一堆堆綽約的楳花空在晚風之中把她們的清香徐吐。

一路犬吠聲把我們送出門來，四圍已經打成了一片無縫的黑暗。我在車上不禁又想起了'暮畔

〔 162 〕

哀歌'中的

　　'把全盤的世界剩給我與黃昏。'

　　　　　　　　　三月九日

〔 163 〕

江 南 的 春 訊

達夫，

　　前幾天接讀了你的‘北國的微音’，今早又接到了你的一封信；信雖很短，然而我們看了之後只覺半晌說不出話。

　　我們各人寫了幾句簡單的囘信之後，沫若只是在那邊默默地踱來踱去，只讓他的急促的步聲略告他的悲傷的心境，我只呆呆地注視着你的來信。

　　現在沫若跑下樓去了，他的步聲雖然沒有剛

〔 164 〕

緣那樣高，然而依然是很急促。他現在高聲吟唱起來了。他唸詩的聲音你是很知道的。我時常覺得他的聲音於激越之中含有不盡的悲哀，於悲哀之中又含有幾分的激越。我知道他此刻正在為你悽楚，也在為自己悲傷。我聽了他從樓下送來的動人的聲音，不覺更加了幾分悲感。想起了你在「北國的微音」中所說的話，不禁磨起墨來，想同你筆談一陣了。

一個人生在世間，本來只是孤孤單單地在走各人的路；縱然眼見有許多的人同自己在一起，好像是自己的同伴，然而仔細看起來，自己與別人的中間實有一個無限大的空域，一個人就好像物質構造上的一個分子，只能任自己的微細的軀體在自己的孤寂的世界之內盤旋，永遠不能跑出一步。一個人只要復歸到了自己，便沒有不痛切地感到這種「孤獨感」的，實在也只有這種感覺是人類最後的實感。

所以你說的「牢牢捉住這『孤單』的感覺」實是文藝創作上的要訣，因為什麼可以稱為最高藝術，

〔165〕

除了‘生之寶感’？

　　不過你說人類的一切行動都是由這‘孤單’的感覺催發出來，我以爲不如說都是爲的反抗這種‘孤單’的感覺。這種感覺是闖進人生的宴會上來的惡魔，人類自有始以來便與牠在不斷地狠鬭。未受文明的流毒的我們的祖先，他們的生活沒有我們今日這等困難，他們多有閒暇的時候，這種感覺便也最頻繁地使他們煩惱。他們馳逐於山林，他們漂流於海上，無非是反抗這位狠毒的闖入者。世漸進化，生活漸難，人類忙於維持自己的存在，便把自己的身神沒入於生存競爭，取了一種消極的反抗，後來更只無意識地反抗了。所以我以爲人類的一切行爲都是爲的反抗這種‘孤單’的感覺。

　　人類的生活，我以爲是一部反抗的歷史，不僅從古以來經過了無數的反抗的激戰，卽每一個人生下地來便不能不與氣候鬭，與疾病鬭，與他人鬭，與習俗鬭。人類是反抗着而存在。

　　有許多古昔的賢哲爲自己的虛構而鬭爭，而反抗；他們不僅反抗他人，而且反抗自己。他們的反

〔 166 〕

抗縱令失敗了,然而他們生活是有意義的,因為反抗便是生活。

　　人類是在反抗着而生活;而這種種的反抗都是一個一貫的,對於孤獨感的反抗的分枝,全體的不變的目標是在反抗這種人生的孤獨感。

　　講到了反抗,達夫!我覺得不可不把近來時常在我心裏的幾句話同你談談了。再過兩三天,我回到中國來就要滿了三週歲。我抱了反抗的宗旨回到中國來,你是知道的。這三年的中間,我的反抗有時雖然也成了功,然而最後的結果却是弄得幾乎無處可以立足,不僅多年的朋友漸漸把我看得不值一錢,便是在我自己並沒有野心想要加入的文學界——在這樣的文學界,我也不僅遭了許多名人碩學的傾陷,甚至一些無知識的羣盲也羣起而罵我是黑旋風,罵我是匹瘋狗。可是我對於這些天天增加的傾陷與毒罵者,我只覺得他們不過是跑來在我的反抗的爐火上加一些煤炭與木材,使火勢不至於消滅。當然我的反抗決不是對向他們,我反而覺得他們有憐憫的必要;我的反抗是對向釀

〔 167 〕

成這種現象的社會全體。有時候，因爲人類已經不可救藥，我也不免時抱悲觀，然而當我否認了一切之後，我到底把反抗肯定了。

從小深處僻地的家中，全然沒有與聞世事，十三歲時飄然遠去，又在異樣的空氣與特別的孤獨中長大了的我，早已知道自己不適於今日的中國，也曾痛哭過運命的悲慘，然而近來更覺我與社會之間已經沒有講和的餘地了。我要做人的生活，社會便強我苟且自欺；我要依我良心的指揮，社會便呼我爲瘋狗。這樣的狀態是不可以須臾容忍的，而我所有的知識沒有方法可以使我自拔出來；在這樣的窮境中，我終於認識了反抗而得到新的生命了！不錯，我們要反抗這種社會，我們要以反抗社會爲每天的課程，我們要反抗而戰勝！

古來有多少善人賢哲，爲了一種空想或理想，鬧了多少的鬥爭。他們是與自己的影子在爭鬥，所以總沒有過戰勝的一天。我們的對象不是什麼空想或理想，我們是面對現在的社會，我們要把現在這社會的咽喉扼住，把牠向地下摔倒。

〔163〕

我們要隨時隨地與社會戰爭；以前繼續下來的反抗的工作，我們要更加用了十分的意識做下去。有些人宣傳我們的本來不值一錢的文字爲'爲藝術的藝術'，稱我們爲頹廢派，一些以耳代目的人便也一齊向我們亂指；專門誣害他人的小人們喲！讓你們的良心從黑暗的囚牢裏跑出來；以耳代目的盲人們喲！把你們的眼睛從狹小的眼眶裏放出來，你們再看看我們以往的文字，也看看我們將來的作品罷；你們把你們慣會拿來誣人或慣會盲從瞎鬧的文字丟開，看看顯而易見的彼此的行爲罷！

達夫！我想起了現在滿目皆是的這些小人與盲人來，不覺我的反抗的爐火又加了一番火勢。最近又有許多以社會主義號召的人也似乎隱隱約約地說了些關於我們的話。我真不解他們幾時從什麼地方得了專賣特許權，能夠說別人所賣的不是與自己的同種。打'只此一家'的招牌，還不過犯了狡猾的商人的惡習，然而誣陷別人，惑人欺世，正義到那裏去了？這也是要有以耳代目的聾肓的中華

〔 169 〕

民國纔有的事。他們只知信任自己的耳鼓，別人在他們的耳鼓邊亂吹一陣，便也肯信而不疑。我願得扯住他們的耳叫醒他們，教他們張開自己的雙眼，親眼看看彼此的行爲的實際。我以爲文藝與社會運動素來是取同一方向的，打出了社會運動家的聰明人喲，你們也不要因爲自己不曾看見，便誣他人不是同你們在一個方向走！

　　寫來不覺很長了，達夫！你說孤獨感‘是我們人類從生到死味覺得到的唯一的一道實味’，我現在提出‘人類的一切行爲都是爲的反抗這種孤獨感’的一個議案。不過我所謂反抗只含有爭鬥的意義，沒有滅絕的意思。因爲這種孤獨感是不能滅絕的，反而我們愈反抗，牠便也愈逼近攏來，我們縱然一時把牠打退了，牠仍要取更兇的威勢撲來的。所以歸根起來，牠仍如你所說，是我們人類從生到死味覺得到的唯一的一道實味。

　　達夫！在我回國後的這三年之間，我的全身神差不多要被悲憤燒燬了。這兩種激蕩不寧的感情就好像兩條惡狠狠的火蛇，只是牢牢地纏住我不

〔170〕

肯鬆放。奄奄待斃的國家，醒醒的社會，虛偽的人們，渺茫的身世，無處不使人一想起了便要悲憤起來。而在我們現在的社會，愈是壞人，便愈能卓立，愈是無知無識的流氓，便愈能成爲偉大的名人學者，我偶然憤不可遏，罵了出來，那些名人學者固然千般傾陷，便是一般的羣盲，也就張開了嘴大呼奇事，甚或要加我一些不當的稱號，我想起了這種不可救藥的社會，想起了這種忘恩負義的羣盲，有時也覺得全心都已灰盡，然而我現在在悲憤的深淵之中發現了'反抗'這條眞理，我從此以後更要反抗，反抗，反抗！孤獨的朋友喲！我們仍來繼續我們的反抗，反抗到那盡頭，要死便一齊同死！

至關於我結婚的事，我以爲你此後倒可以不要再爲我發愁，因爲我只要聽到了女人二字，就好像看得見一張紅得可厭的嘴在徐徐翻動着向我說：'你雖也還年輕，不過相貌太不好，你的袋裏也沒有幾多的錢。'脫爾斯泰生得醜陋，每以爲苦，但是他頗有錢，所以倒也痛飲過青春的歡樂，像我這樣赤條條的人，我以爲決不會有什麼女人來糾擾，

〔 171 〕

對於一個Misogamist，這倒也不是怎樣壞的境遇，

春光又回到江南來了，梅花已經反抗着春風，登場演了她的一回手勢戲。再過些時，龍華的桃花就要開了。黃浦江的濁水常在激蕩着反抗牠們的運命。新落成的歐戰紀念塔上的女神常在放着光反抗旁邊的高塔的威壓。在一間破陋而漫無秩序的長方形的房子裏，三個方正的男子常在商量週報週年後改良的方法，預備反抗一切未來的困苦。達夫！你如能回到南邊來，就早點來也好，我們需要你呢！

三月二十八日

〔172〕

春　　遊

　　近來我對於自己的遊惰，漸次發生了一種極強烈的反感。最初，我還只覺得閒着手不做事不像樣；其次，我漸漸覺得我這個人眞不中用，眞可鄙棄；最後，我近來開始自己輕視自己起來了。這種自己輕視自己的感情，我只在學生時代有過幾次。那時代，或是因爲偸懶，或是因爲神經病發作，或是因爲要特別準備考試，不得不向學校請假的時候，雖然也歡喜暫時可以不做機械式的苦工，然而心裏總有點覺得不大好過，有點怕見別人。在別的學生

〔 173 〕

全體在課堂上課的時間，一個人獨在家裏閒居，或穿着制服在街上跑，這實是比什麼苦工還要苦的工作。家裏的窗壁器具會顯出一些使人發汗的冷齒來，街上的行人的眼睛好像是專為猜疑一個離羣的學生而生的，就是那素來極老實的太陽，他也遲遲不進，故意要使人煩惱。這時候，不論自己怎樣辯護自己，總不免要覺得慚愧，更由慚愧而漸漸輕視自己。

我坐的人力車把我從醒醒的市中向龍華拖去的時候，這種感情又開始來纒繞我。街上來來往往的行人，當我要去探春的今天，好像比平日要勤快一倍的樣子。雖然我不能了解他們為什麼要這樣忙，然而我從他們中間通過的時候，我只覺得好像我面前有一團烘烘的烈火。這個車夫好奇怪，他的跑法與別的車夫完全不同；別的車夫總是一鎗一蹋的跑，他却把全身當做了一個螺旋，在向空間螺進。我很驚訝地凝視着這個螺旋，心中却不住地把我與他的不同的兩個世界在比較。一樣的往龍華，偏有這樣不同的目的，不同的狀況與不同的心境！

〔 174 〕

我打量他的身體，不像有什麼缺點使他不能算一個人，他一樣也是人的兒子！我這樣想起來，恨不得馬上跳下來讓他坐上，我們來輪流拖着車跑。然而——縱不論及我的左脚有病，就只這被些少的知識去了勢的我啊，恐怕拖不上兩步，就要把我車上的乘客傾倒。我越想越覺得心裏煩亂起來，我倒羨慕這車夫的平和的心境。

自從愛車去了之後，我心裏更加寂寞起來。又因爲病臥了幾天的緣故，我只覺得異常煩惱。回國以來恰恰三年了，我的有限的光陰，總是這樣任牠流去的嗎？這只給我失望的痛苦的文學界，還有什麼可以留戀，縱忍痛含羞而不足惜的嗎？我非去與一切的門閥講和不可嗎？我將聽從我們那些可敬的社會運動家的話，也做些'幹呀！幹呀！'的文字印在紙上，使那些正在讀書時代的，熱心的社會運動的青年拿去嘆賞嗎？諸如此類的問題時常在我的心頭來往，我的神經病時常待發作，猶如在尋覓出路的一團高壓的烈火。

今早嚼着麵包看報的時候，看見了大戈爾歡

〔175〕

迎華備會的一則紀事，我心裏大不以爲然起來，我向T這樣講：

"這些人比我還要閑着不做事，我都覺得可以在他們臉上吐一臉的痰。"

"你以爲他們是閑着嗎？他們是忙着想博一點小小的名譽。"

"那就更該死了。"

我狠狠地把報紙丟向一邊，却抬起頭來觀看窗外的天色。在我窗子的上半部橫着一片長方形的天空，濁得像牛乳一樣；只右邊的一角，露出一個好像無底的澄碧的深井。一方面低迷的天空好像要壓到身上來，他方面那一角閑靜的靑天，又好像美女的明眸一般，在把我勾引，使我恨不得便向這無底的深井中一跳。據我自己的經驗，這種惱人的春天是決不許人坐在家裏心平氣和地做事的。我於是想起了病中不曾去看的龍華的桃花來了。

前禮拜撲一個空，掃興回來了的N說：現在該開齊了罷。

開齊與不開齊，我可無暇多管。住在上海好像

〔176〕

坐牢,孤獨的我又沒有什麼娛樂,在外人庇蔭下嘻嘻恣慾的狗男女又使我心頭作嘔。外國人辦的幾個公園,都紅着臉去遊過多次,半淞園又那樣淺薄無聊,此外還有什麼地方可往?——我心裏這樣亂想時,我們都已穿好了衣服。

　　剛下了樓,郵差送來了一束信件。約略把要緊的信看了。信以外的是一些投稿和新出來的書籍,雜誌與報紙附刊之類的東西。近來我漸次歡喜看外國的名家小說起來,我最怕看給我們寄來的這些物件;一半是怕增加失望的痛苦,一半是因為我近來痛恨這種精踏好紙,迫害排印工人的無聊的出版物。我把一部雜誌扯破,分給了N和T,叫他們如廁時利用。我自己帶了幾張什麼週刊附刊;留下的兩張却屈牠們代替了一個鞋刷子。

　　"謝謝。"

　　N和T一時猜不着我在向誰說,呆住了。我近來因為痛恨遊惰的緣故,時常痛罵我所認為遊惰的人。對於這種專門寫些無聊的文字出風頭的閒人,我的憤怒便再也按不下去了,不管T怎樣向我

〔 177 〕

申說這是可以傷那些作者的感情的。

我們漸次離開了窒息的塵煙，漸次走上了田間的土路，我在車上不住的亂想，但是我前面的螺旋又常把我週想的眼光扭了過來，使我想不起有統系的思想。我想起今天是來遊春，我決定不再亂想了。我開始注意路旁的桑樹，開始注意田間的人家，開始注意遠方的緩舞風前的弱柳。

乳濁的低空裏，漸次有成羣的矮樹在吐着淡青色的輕霞，望去好像一個小兒方從夢中微醒過來的樣子。看，牠因為準備起來跳躍，已經開始徐徐地呼吸新鮮的空氣了！

遊人好像漸漸增加起來，汽車驀地從身傍過去，惟在一陣突起的飛塵中留下一聲可以截鐵的，銳利的笑語。馬車得得趕上我們來，得意的年青的男兒，驕傲的美妙的少女很高傲地望了我們幾回，便揚長而去了。

我們儘在沙塵中苦熬，我的螺旋好像不能前進的樣子，富兒們的車馬却早已流水一般的過去。我的臉上似乎被沙塵披滿了。驕傲的有錢的男女

〔178〕

門喲！你們在華麗的大貨店或大菜館裝點門面好了，為什麼要來虐待路上的行人，輕侮這失意徬徨的我？

漸漸有一株一株盛開的桃樹掩映在陌上人家了。遊人都左顧右盼，指點相呼，好像全然沈滅在桃花的觀賞了。只有汗流浹背的車夫，却仍在一心猛進。

右手邊有了一片泛着紅潮的桃樹，但我們的車還是前進不止。又走了不少的路，我們纔到了龍華。遊客已經來得不少。一座高塔先牽住了我的注意，回頭一看，却在一片車馬的那邊發見了一所寺院。N把我們引進了這寺院裏。這是‘龍華古寺’。遊人已經擠得滿滿的了。婦女們在忙着燒香，男人却只是東奔西走。寺的建築并不佳，兩側都有丘八住着，蒼白的和尚使人看了作嘔，除了醜惡的木偶之外，似乎沒有一點可以使人發生宗教的情感。一些藍裝的婦女在到處燒香跪拜，我從前只知道大綢緞店與大洋貨店是她們最有用的地點，現在却發見了她們還有這一種用處。我們在人叢中混了一

〔179〕

陣,覺得煙霧難當,便讓 N 殿後,忽忽逃竄出來了。

　　"看桃花去罷"。——我的這個提議使 N 呆住了。他看了看我,知道我不是被煙霧薰得神經錯亂了,纔告訴我這裏的桃花本不甚多,我們一路行來所見的已經不少。我聽了他的話,幾於笑了出來,因為以桃花著名的龍華只有這寥寥的幾株,實在未免近於滑稽了。

　　我們極力避開這些淺薄的男女們,便取了一條僻靜的路走去。轉幾個灣,我們已經離開他們了。打破了一切的障蔽,自己誠懇地投到大自然中來時,世界要比平時光明幾倍。我現在覺得我的腳步輕快起來了。勤快的農夫,質樸的農婦,他們在從事種種遲鈍而平和的工作,孜孜不息。這光景又使我愧恨自己的遊惰起來了。一個連長帶了一隊步兵從田中繞過,我心裏暗想這也是些閒人,我們的民族全被這種種閒人弄成一個不可救藥的僵屍了。

　　也不知道要往那裏去,偶然走到了一條溪邊,一個三十多歲的男人跕在石橋上亂喊。我們急忙走近,依他的視線看下去時,水裏面隱約有一個小

〔 180 〕

人頭在上下，我想向溪邊跑下去，却早看見一個農夫'撲通'一聲，跳下去了。溪水並不深，轉瞬之間，這個不幸的小兒已輕被抱上了彼岸。我們掉轉頭去看那邊泛起一片紅霞的桃林時，我對N與T說:這個男人是我們的社會運動家的代表。

繞過一個人家時，先鋒N忽然站住了。幾個年青的姑娘在那裏寫生。N輕輕告訴我這是他母校的學生，頂前面的便是他曾說過的D姑娘。我們輕輕走過去。D姑娘笑向N點首。她們好像纔來，畫面還是些白紙。我們怕她們不好意思，便徐徐踱過去了我心裏想着N對我說過的話，覺得D姑娘她的紅頰。美過桃花，她的心情更是優美無比。

到處有一種醉人的香氣，我深深吸入胸中，自己覺得快要醉了。我想起日本四行的一首和歌來:

年輕的生命，我願在好花下邊，與春俱謝了，
當那陽春二月間，明月團團的時候。

心中忽然起了一種悲感。我遙望着遠處，那邊渺不可即的遠處，但願我能夠頹然傾倒。

一個小小村落前有一片鮮美的紅霞。我們從

〔 181 〕

田間的小徑走到了她的前面。我們在桃花下立了一回，覺得彼此的臉上都有點紅了。迎着春風走來，又尋到了盛開的幾樹。溪那邊有一所私人的亭園，我們尋着一條小橋跑過去，叩開門，在園內走了幾轉。

我的病脚到底易疲，我漸次落在後面了，N和T見我這種情狀，便也提議早點回家。我不願打斷他們的遊興，反而要他們多跑了幾處地方。我們再從石橋經過時，日已西斜，寫生的姑娘們已經不知何處去了。

疲倦畢竟逼我坐了車回家，我心裏自問：我的一生便只能這樣遊惰的嗎？我向兩邊的桃花告別，桃花也好像入了一種反省的心境。這回的車夫不像那個螺旋，只是一跳一登。我的腦中充滿了桃花，煙霧，寫字的姑娘，民衆運動家的代表……

〔182〕

跋

歲月匆匆,不覺已經三十寒暑了。萬事都如一夢,這些便都是夢中的囈語。

青春時代的歡樂與悲哀,一去已無踪跡;牠們的殘照與餘音,通通收在這裏。

請寬恕這種利己的動機,因為這都不過是一場易醒的迷夢。

十六年七月三十一早晨於滬濱旅舍

〔183〕

花木蘭文化事業有限公司聲明啓事